BOA NOITE,
ESPÍRITO SANTO

Pe. HÉLCIO VICENTE TESTA, C.Ss.R.

BOA NOITE, ESPÍRITO SANTO

Orações ao fim do dia

EDITORA
SANTUÁRIO

Direção Editorial:	Pe. Flávio Cavalca de Castro, C.Ss.R.
	Pe. Carlos Eduardo Catalfo, C.Ss.R.
Coordenação Editorial:	Elizabeth dos Santos Reis
Coordenação de Revisão:	Maria Isabel de Araújo
Copidesque:	Ana Lúcia de Castro Leite
Revisão:	Marilena Floriano
	Vanini N. O. Reis
Diagramação:	Marcelo Antonio Sanna
Capa:	Márcio A. Mathídios e
	Marco Antônio Santos Reis

Dados Internacionais de Catalogação na Publicação (CIP)
(Câmara Brasileira do Livro, SP, Brasil)

Testa, Hélcio Vicente
    Boa noite, Espírito Santo: orações ao fim do dia / Hélcio Vicente Testa; fotos Orlando Gambi. — Aparecida, SP: Editora Santuário, 2001. (Oração e Vida, 2)

    ISBN 85-7200-776-8

    1. Espírito Santo 2. Oração 3. Vida espiritual
I. Gambi, Orlando. II. Título.

01-4740   CDD-291.43

Índices para catálogo sistemático:

    1. Orações: Espírito Santo 291.43

22ª impressão

Todos os direitos reservados à EDITORA SANTUÁRIO – 2024

Rua Pe. Claro Monteiro, 342 – 12570-045 – Aparecida-SP
Tel.: 12 3104-2000 – Televendas: 0800 - 0 16 00 04
www.editorasantuario.com.br
vendas@editorasantuario.com.br

*Para Magali e Nelson,
meus irmãos*

*"Eu tranquilo vou deitar-me
e na paz logo adormeço,
pois só vós, ó Senhor Deus,
dais segurança à minha vida!"*

(Sl 4,9)

Agora que o clarão da luz se apaga,
a vós, nós imploramos, Criador:
com vossa paternal misericórdia,
guardai-nos sob a luz do vosso amor.

Os nossos corações sonhem convosco:
no sono, possam eles vos sentir.
Cantemos novamente a vossa glória
ao brilho da manhã que vai surgir.

Saúde concedei-nos nesta vida,
as nossas energias renovai;
da noite a pavorosa escuridão,
com vossa claridade iluminai.

Ó Pai, prestai ouvido às nossas preces,
ouvi-nos por Jesus, nosso Senhor,
que reina para sempre em vossa glória,
convosco e o Espírito de Amor.

(Hino das Completas – Liturgia das Horas)

1

BOA NOITE, ESPÍRITO SANTO...

Tudo o que somos e temos, de vós nos vem.
Nesta noite que se inicia, quero louvar
as alegrias e tristezas de meu dia.
Nas alegrias pude perceber o quanto sou amado
e quanto sinto a vossa presença, nas horas em que
tudo decorre de forma perfeita e harmoniosa.
Quero louvar também a tristeza,
porque ela me ensina a paciência e a força
para superar barreiras e vencer os obstáculos,
que a vida nos apresenta.
Sei que vós estivestes em todos
os momentos de meu dia,
por isso vos louvo por sentir
a vossa presença na alegria
e o vosso amparo na tristeza.

Vinde, Espírito de Presença, concedei-me um sono
tranquilo e um despertar feliz.

*"Gloriai-vos em seu santo nome; alegre-se o coração
dos que buscam o Senhor"* (Sl 105,3)

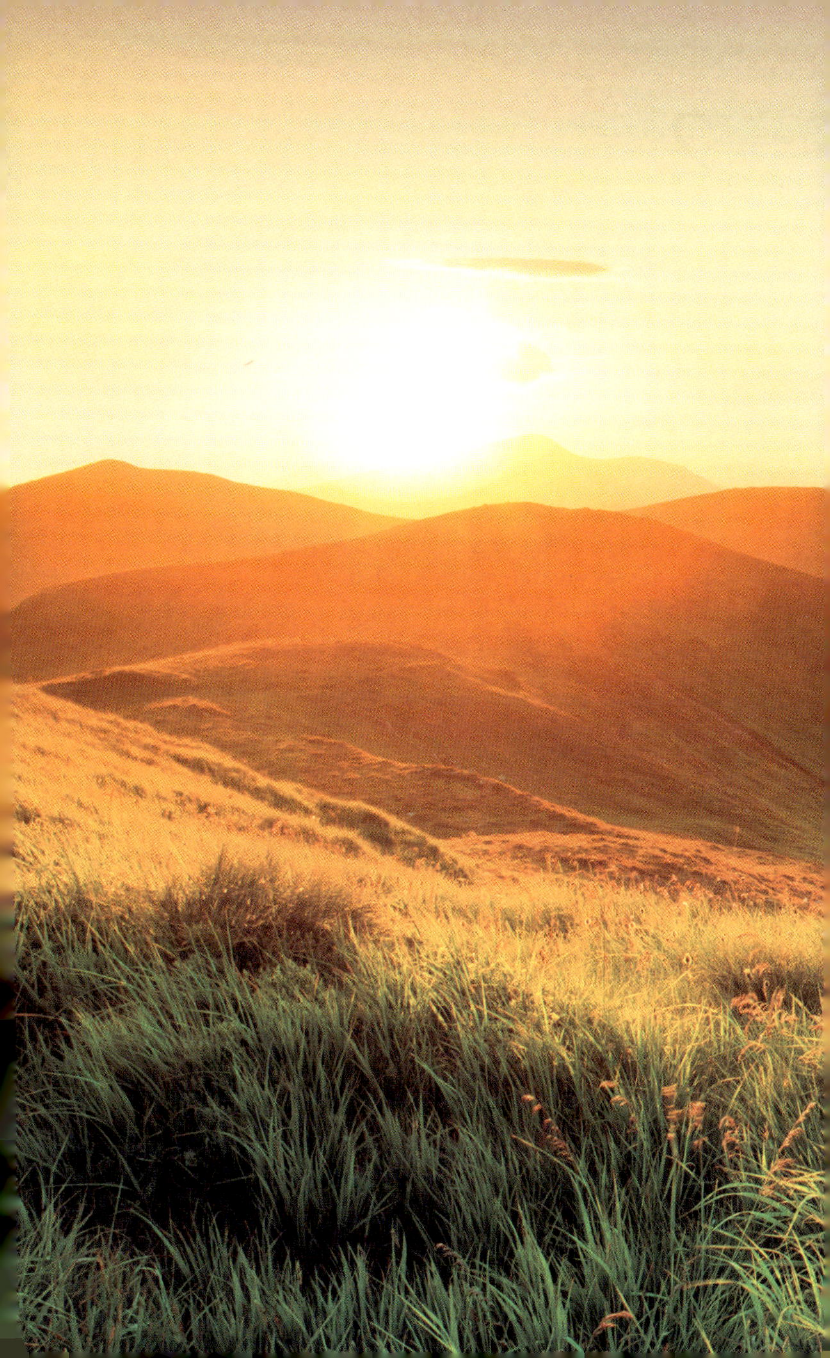

2

Boa noite, Espírito Santo...

Durante o dia de hoje tive de exercitar
o dom da solidariedade.
Somos chamados a ser solidários
em pequenos gestos, com as pessoas que nos cercam,
com aqueles que são o nosso próximo.
Quero bendizer a oportunidade que tive hoje
de ser sinal de vossa solidariedade,
a oportunidade de me colocar a serviço do outro
sem nenhum interesse, simplesmente pela alegria
de servir àqueles que precisam de mim,
de minha mão estendida, de meu apoio,
de minha palavra amiga.
Nesta noite que se inicia venho pedir
a força de vosso amor,
para que no dia de amanhã
eu continue sendo solidário
com meus irmãos e irmãs e assim consiga ver
vossos dons espalharem-se pelo mundo.

Vinde, Espírito de Solidariedade, concedei-me um sono tranquilo e um despertar feliz.

"Porque eu, o Senhor teu Deus, te seguro pela tua mão direita e te digo: Não temas; eu te ajudarei" (Is 41,13)

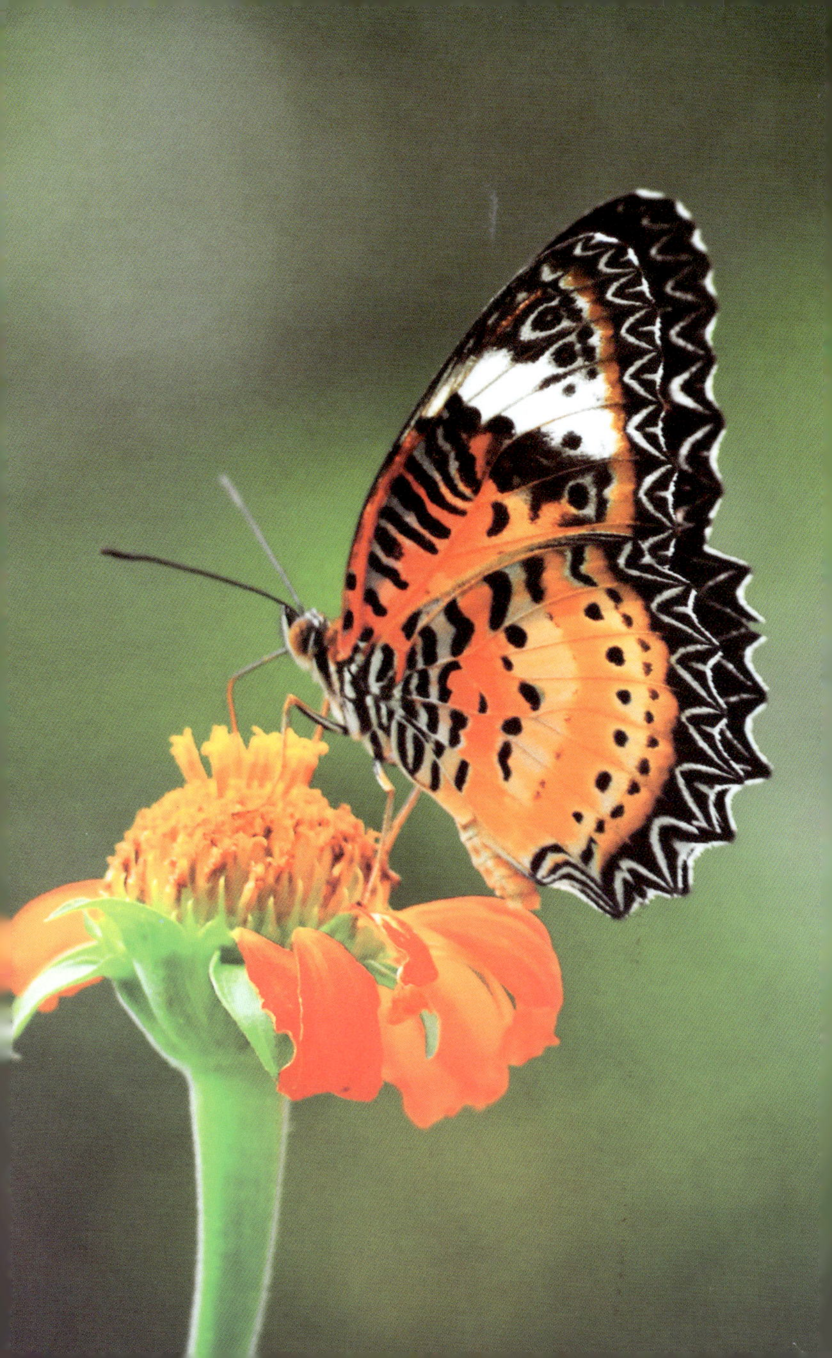

3

BOA NOITE, ESPÍRITO SANTO...

Ser honesto com as pessoas é um valor moral
que muitas vezes nos esquecemos de praticar.
Criticamos os grandes atos de desonestidade
que presenciamos em nossa sociedade,
entretanto não percebemos
que pequenas atitudes nossas
podem levar-nos a acostumar com esse pecado.
Que eu seja honesto primeiramente comigo
mesmo,
que não busque meios para mascarar os meus
pecados.
Que viva a honestidade com os meus irmãos e irmãs.
Que busque ser honesto com a minha Igreja
e com os seus mandamentos.
Que o sono tranquilo traga-me a cura desse pecado,
que tanto prejudica o meu viver.

Vinde, Espírito de Honestidade, concedei-me um sono
tranquilo e um despertar feliz.

*"Exorto, pois, antes de tudo que se façam súplicas,
orações, intercessões e ações de graças por todos os homens,
pelos reis e por todos os que exercem autoridade, para que
tenhamos uma vida tranquila e sossegada,
em toda a piedade e honestidade"* (1Tm 2,1-2)

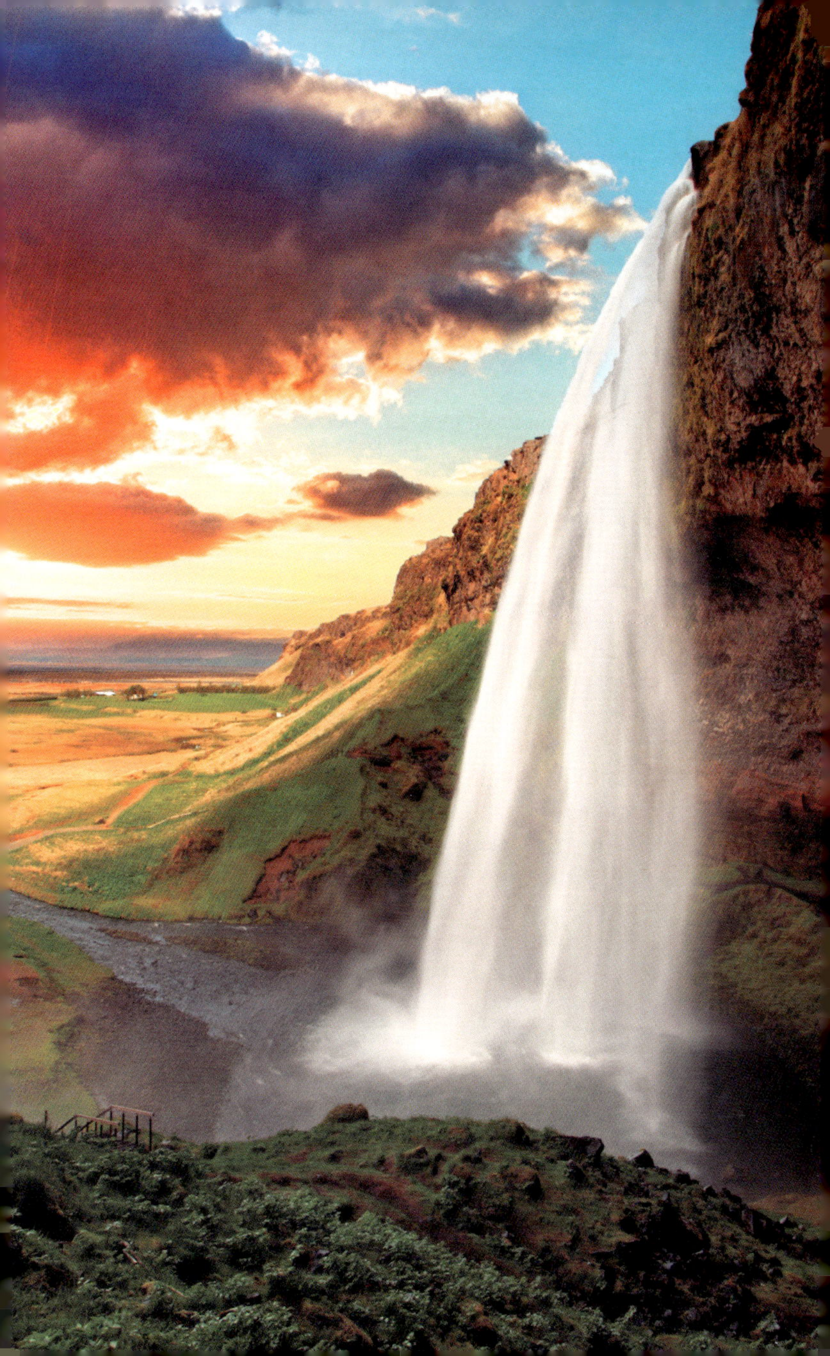

4

BOA NOITE, ESPÍRITO SANTO...

Divina força que nos impulsiona
para a construção do Reino de Deus.
Acredito que hoje muitas ações de meu dia
foram sementes lançadas para a edificação
de um reino de justiça e fraternidade:
aquela acolhida fraterna
ao meu irmão menos favorecido,
aquele sorriso sincero, que serviu de apoio
a quem precisava de alegria em sua vida.
Pequenos gestos, como que pequenas sementes,
que pude lançar no terreno da vida,
na firme esperança de que produzirão frutos,
e o fruto maior será a vossa presença no mundo.
A noite que surge traga a certeza
de que o meu amanhã será um dia luminoso,
em que poderei ver brotar
as sementes de vida, que hoje lancei.
Que meu corpo e minha mente repousem na paz
e na certeza de que pude fazer minha parte
na construção do Reino de Deus.

Vinde, Espírito de Vida, concedei-me um sono
tranquilo e um despertar feliz.

> *"Vê que hoje te pus diante de ti a vida e o bem,*
> *a morte e o mal"* (Dt 30,15)

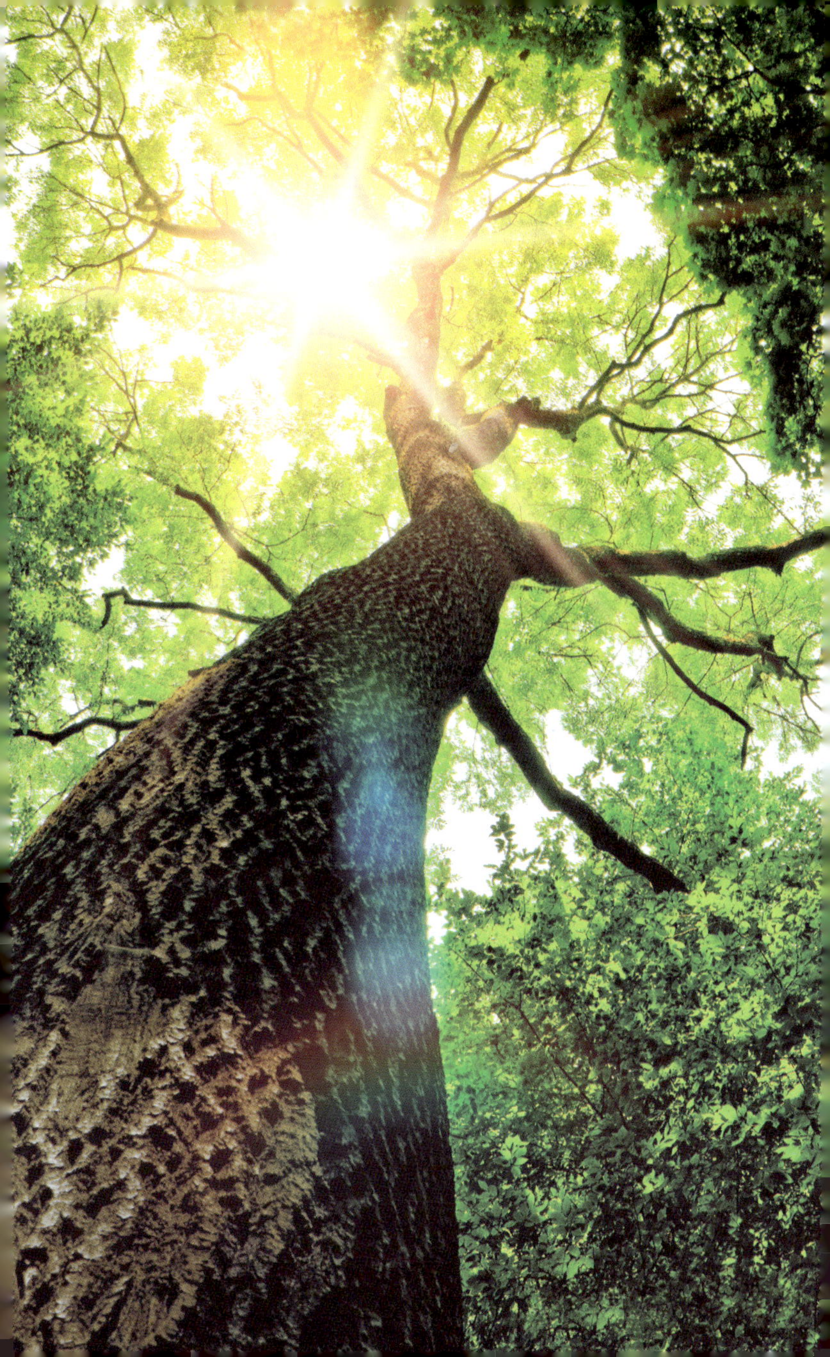

5

*B*OA NOITE, ESPÍRITO SANTO...

Senhor da vida, hoje quero agradecer os momentos
em que vosso amor se fez presente durante o meu dia.
Como é bom sentir esse amor fiel
a nos transmitir a segurança necessária
para nos sentir fortalecidos.
Em vários instantes do dia de hoje,
nas pequenas coisas,
pude perceber o quanto sou amado.
Sou agradecido pela vida que de vós provém,
sou agradecido pelo ar, pela água e pela terra,
elementos que fazem parte de minha vida
e são sinais de vosso amor para que possamos viver,
nos purificar e tirar o nosso sustento.
Como é bom, Senhor, saber que vou dormir na certeza
de que em vosso infinito amor estará vigiando meu sono,
e que no despertar de um novo dia
encontrarei novamente todos os elementos da natureza
a gritarem o vosso fiel e infinito amor.

Vinde, Espírito de Amor, concedei-me um sono
tranquilo e um despertar feliz.

*"O amor de Deus está derramado em nossos corações
pelo Espírito Santo que nos foi dado"* (Rm 5,5)

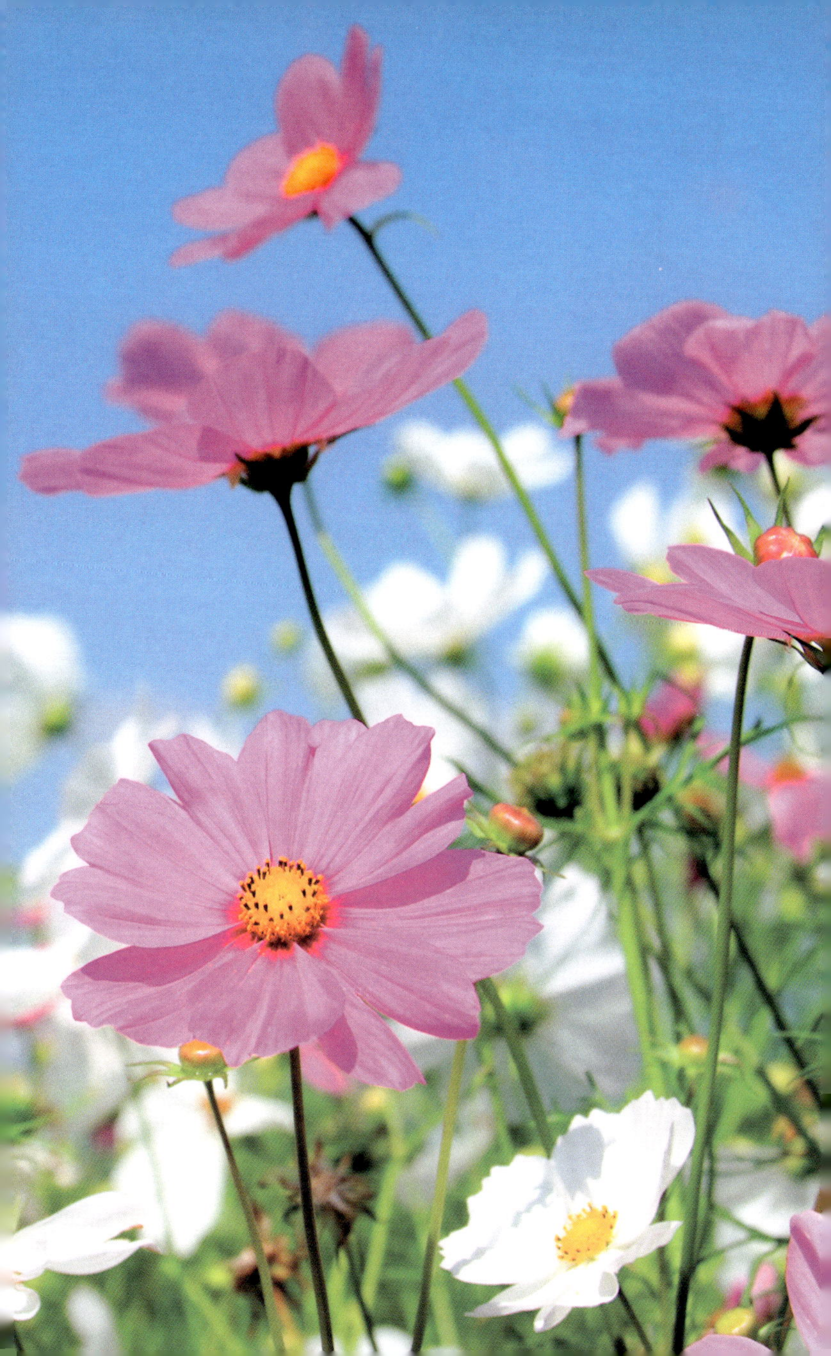

6

Boa noite, Espírito Santo...

Temos a certeza de que sois o supremo bem,
porém, como criaturas imperfeitas que somos,
nos deixamos levar pelo mal que habita o mundo.
O mal do egoísmo,
quando tantas pessoas morrem de fome.
O mal da preguiça,
quando há tanto o que fazer
para tornar o mundo melhor para todos.
O mal da ira, que nos leva a tomar atitudes
precipitadas e a descarregar nossa intolerância
em pessoas inocentes.
Como são inúmeras, Senhor, as oportunidades
de se fazer o bem, e nos deixamos levar pelo mal,
que tanto nos afasta de vós
e do vosso plano de salvação.
Acredito que neste dia que passou realizei atos
em que o mal se fez presente,
seja em atitudes voluntárias, seja em atos impensados.
Para que eu possa ter um repouso tranquilo
e a minha alma possa ficar em paz,
perdoai-me, Senhor, o mal que hoje cometi.

Vinde, Espírito de Sumo Bem, concedei-me um sono
tranquilo e um despertar feliz.

> *"Aquele, pois, que sabe fazer o bem e não o faz, comete pecado"* (Tg 4,17)

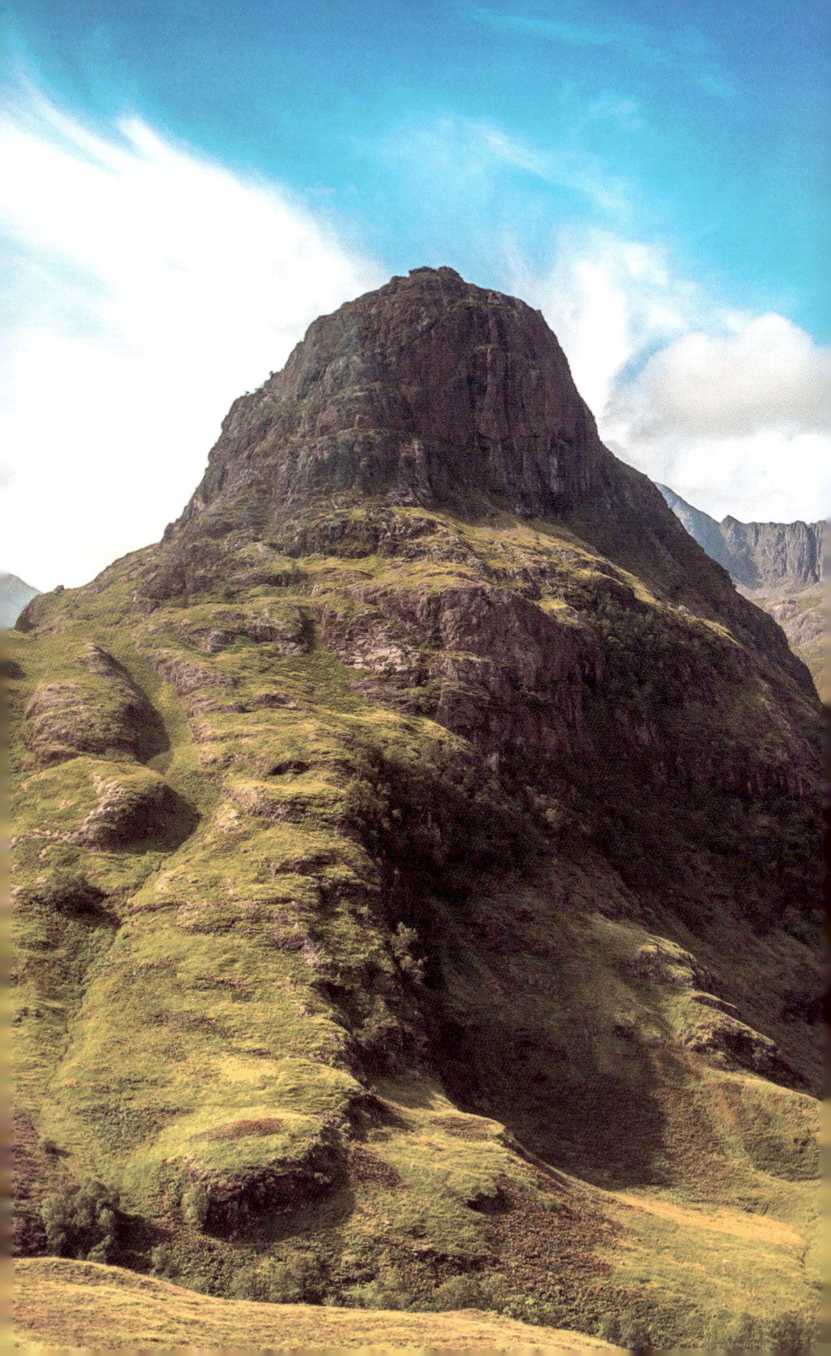

7

Boa noite, Espírito Santo...

Podemos ofender os outros com palavras
que muitas vezes nos parecem inofensivas
ou com palavras que surgem nos momentos de
raiva ou de desentendimentos.
Quantas palavras disse, neste dia de hoje,
que podem ter ofendido ou magoado pessoas queridas.
Palavras que podem ficar gravadas
nos corações dessas pessoas;
rancores que surgirão por minha inconsequência,
por minha falta de cuidado com as palavras ditas.
Inúmeras vezes abrimos nossa boca para maldizer
ou quem sabe até para blasfemar,
e não falamos palavras que edificam os irmãos e as irmãs,
ou mesmo que louvem as vossas maravilhas.
Que o sono reparador desta noite ajude-me
a ser mais cauteloso com o falar.

Vinde, Espírito de Cautela, concedei-me um sono
tranquilo e um despertar feliz.

---

*"Sabei isto, meus amados irmãos: Todo homem seja
pronto para ouvir, tardio para falar e tardio para se irar"*
(Tg 1,19)

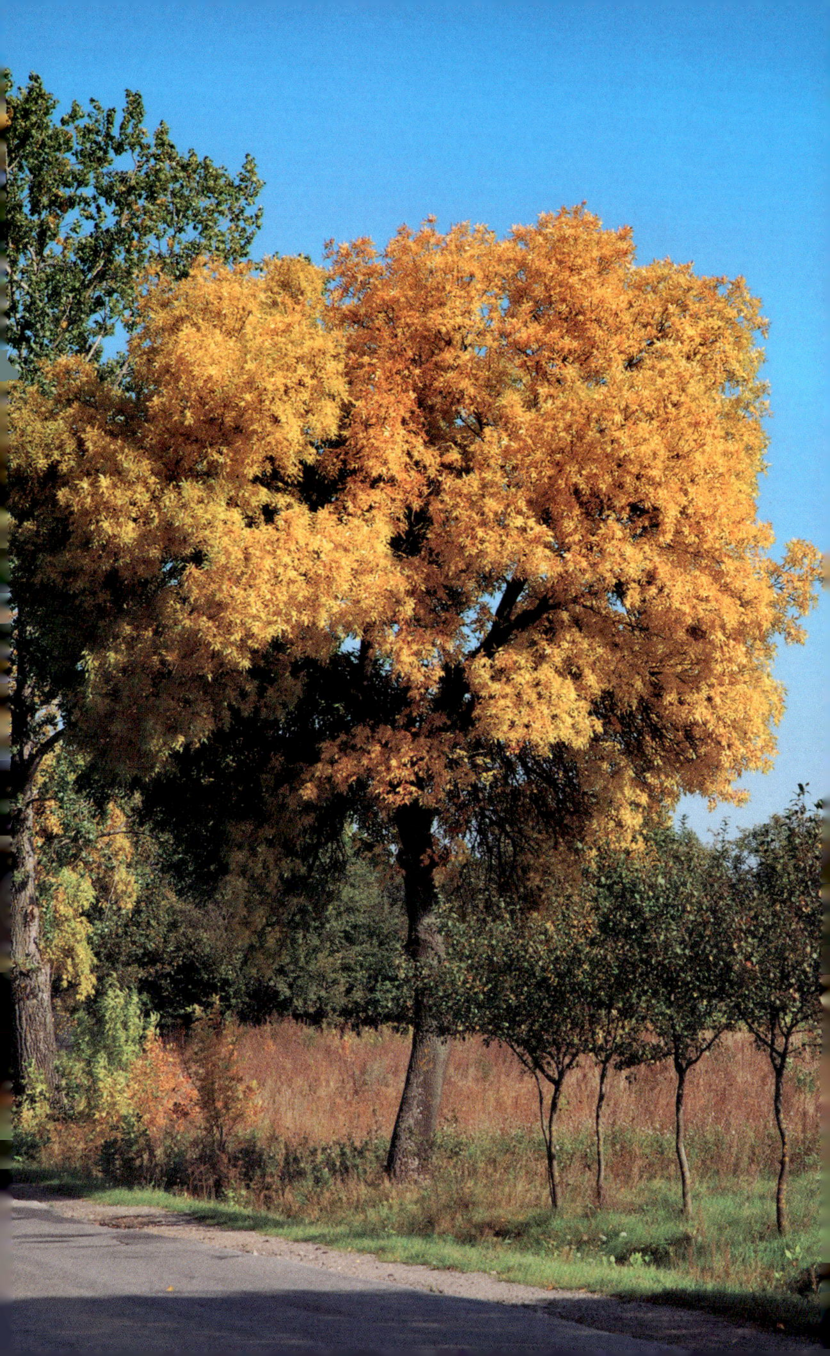

8

Boa noite, Espírito Santo...

Tenho a certeza de que somos formados
a partir de nossa convivência com as pessoas.
Nossos amigos são para nós fonte de conhecimento,
de confiança e de apoio.
Quero nesta noite rezar por todos os meus amigos,
pelas pessoas que fazem parte de minha vida
e por aqueles que por algum motivo
já não estão mais no meu convívio;
pelos que estão distantes e por aqueles que se fazem
presente no meu dia-a-dia; pelos amigos de minha
infância, que estiveram comigo nas brincadeiras
e descobertas da vida; enfim por todos os que se
fizeram presentes e que guardo na lembrança.
Para que todos esses meus amigos
encontrem a felicidade de viver
e a alegria de confiar em vós, eu rezo nesta noite.
Para que ao despertarem no próximo dia
possam sentir a vossa presença amiga
dando-lhes força em sua caminhada
como amigos e amigas
e como presença na vida dos outros.

Vinde, Espírito, nosso melhor Amigo, concedei-me um
sono tranquilo e um despertar feliz.

"Ninguém tem maior amor do que este, de dar alguém a sua vida pelos seus amigos" (Jo 15,13)

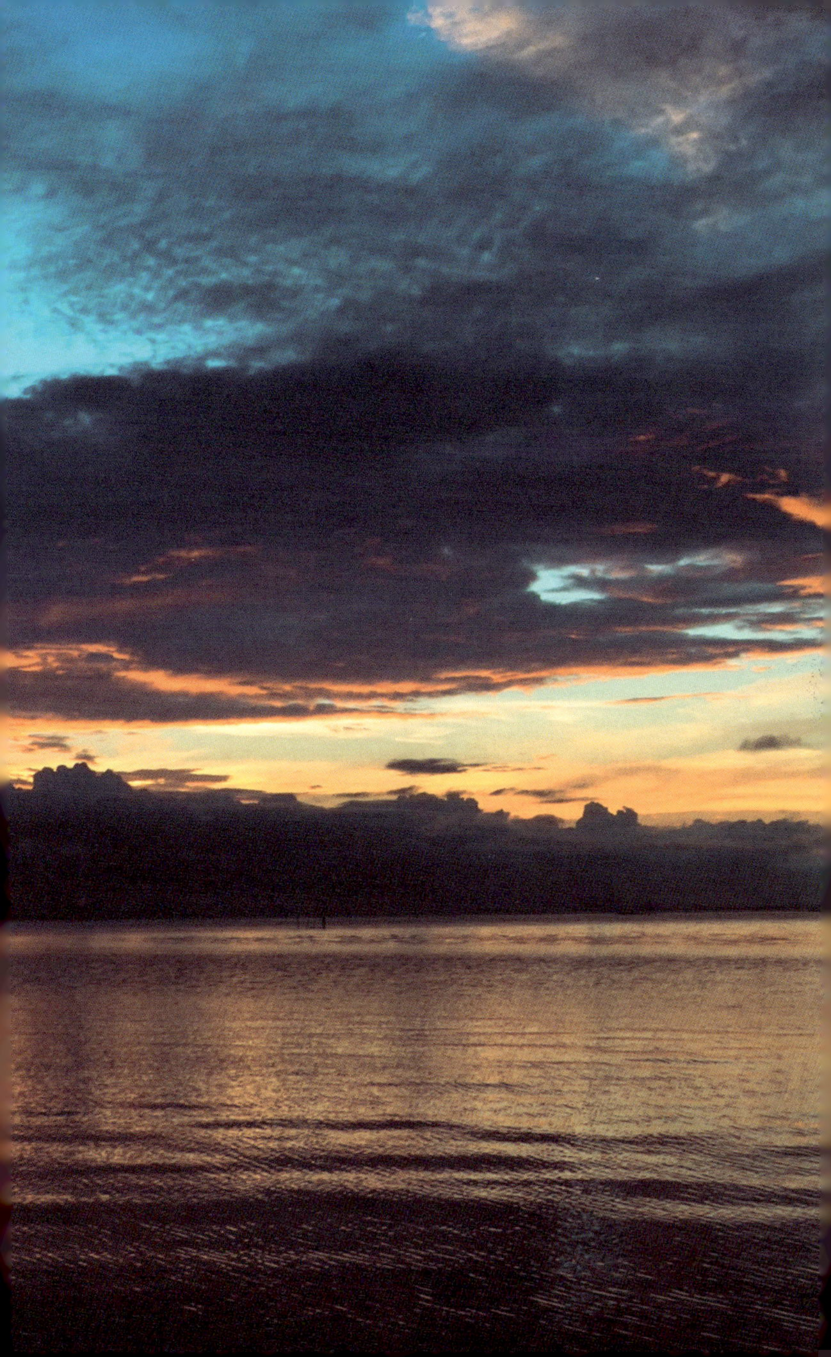

9

Boa noite, Espírito Santo...

Minha família é o meu grande tesouro,
e nesta noite quero bendizer-vos
pela família que me destes.
Sei que não somos perfeitos,
sei que muitas vezes nos desentendemos,
que deixamos as raivas suplantarem
o amor que nos une;
mas sei também que é muito bom poder tê-los
como ponto de apoio em minha vida,
como referencial de minha existência.
Quantas pessoas nesta noite
estão longe de suas famílias,
separadas pela distância geográfica
ou, pior ainda, separadas pela distância do desamor,
da desunião.
A família é nossa pequena igreja,
é nela que devemos dar os primeiros passos da fé.
Por isso, Senhor, por todas as famílias vos bendigo,
por aqueles que estão distantes vos peço,
e pela união entre as famílias vos suplico.

Vinde, Espírito, Bênção das famílias, concedei-me um sono tranquilo e um despertar feliz.

> *"Todos os limites da terra se lembrarão*
> *e se converterão ao Senhor, e diante dele adorarão*
> *todas as famílias das nações"* (Sl 22,28)

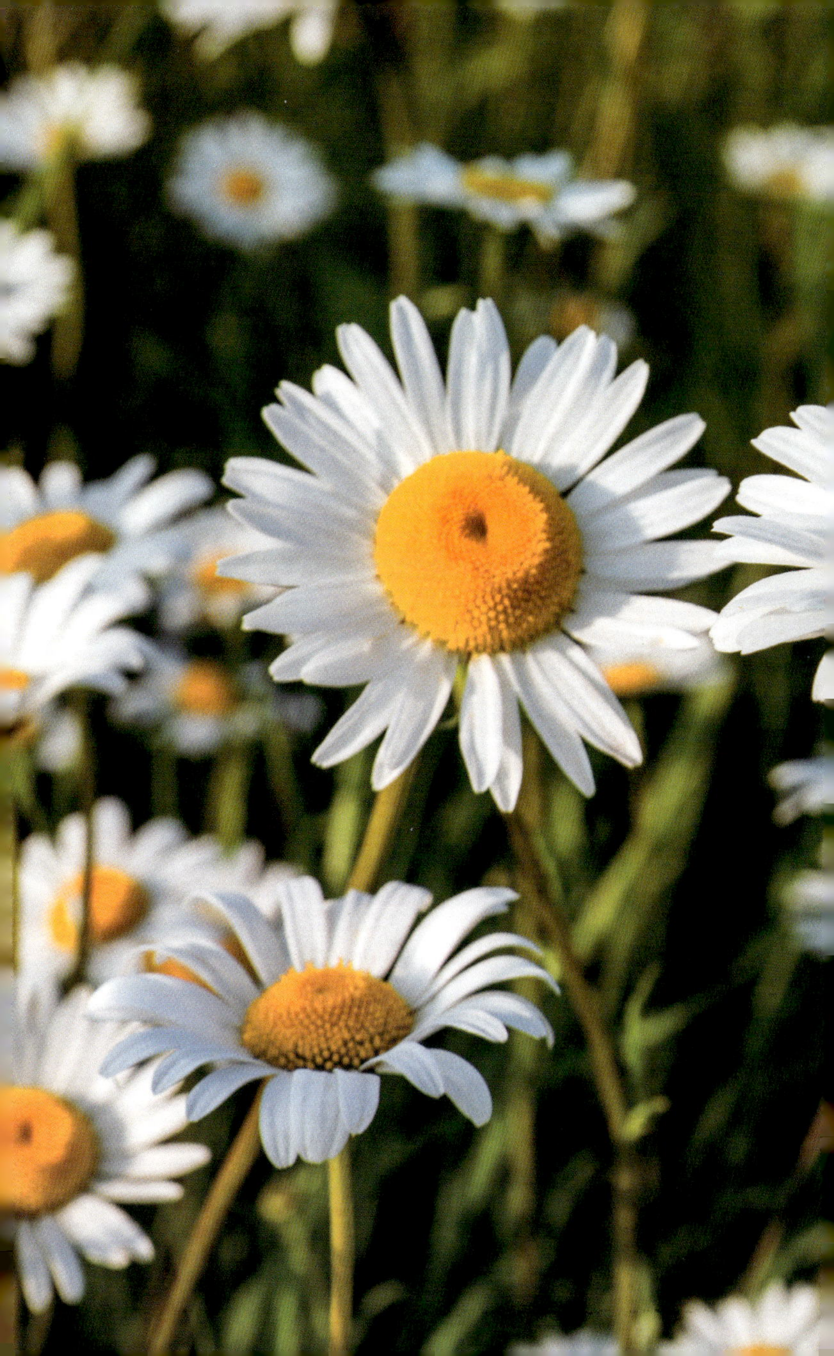

10

Boa noite, Espírito Santo...

Nesta noite tranquila de sono,
quero repousar não somente o meu físico,
mas também o meu lado espiritual.
Quero repousar em vós, Senhor,
para que durante esta noite possa sentir-me curado
de todas as imperfeições que me afastam de vós.
Libertai o meu coração de todas as mágoas e angústias,
de todos os medos e depressões.
Que tudo o que necessita ser perdoado, tudo o que
precisa ser curado, possa nesta noite se transformar
em um grande louvor a vós.
Durante muito tempo fui acumulando em meu ser
as mágoas de minha infância,
as respostas que não gostaria de ter ouvido
e as brigas e raivas desnecessárias.
Mas hoje quero ser curado de todo esse mal
que me impede de ser um cristão autêntico.
Fazei-me de novo, Senhor,
para que eu possa renascer mais feliz
e transformado de meu sono.

Vinde, Espírito de Cura, concedei-me um sono
tranquilo e um despertar feliz.

> *"E percorria Jesus todas as cidades e aldeias, ensinando nas sinagogas, pregando o evangelho do reino e curando toda sorte de doenças e enfermidades"* (Mt 9,35)

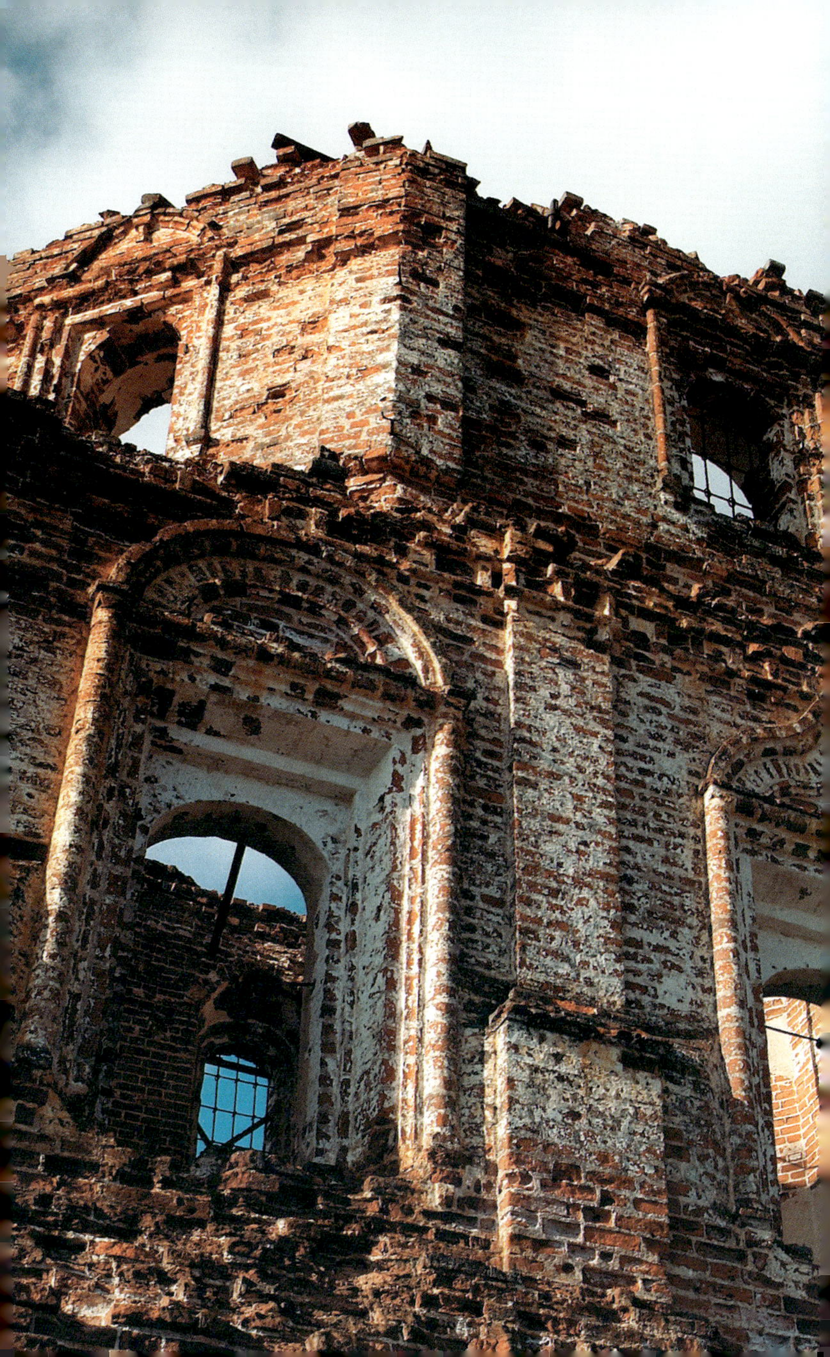

11

*B*OA NOITE, ESPÍRITO SANTO...

O meu cansaço físico não deve
confundir-se com o meu cansaço espiritual.
O cansaço físico se resolve
com uma boa noite de sono,
porém o meu cansaço espiritual
somente se resolve com muita perseverança na oração.
Muitas vezes desanimo e me deixo levar
pela minha falta de fé.
Mas hoje quero sentir-me forte na fé
e comprometido com a busca da superação
do desânimo,
pois sei que vós, Senhor, nunca desanimais de nós,
vossos filhos, e acreditais sempre em nossa conversão.
Quero ser firme nas minhas orações,
para que todo desânimo espiritual
seja banido de minha vida
e meu cansaço seja transformado em ânimo
para estar cada vez mais próximo de vós,
na oração, no amor e no perdão.

Vinde, Espírito de Coragem, concedei-me um sono
tranquilo e um despertar feliz.

"Quanto a mim, estou cheio do poder do Espírito do Senhor, assim como de justiça e de coragem" (Mq 3,8)

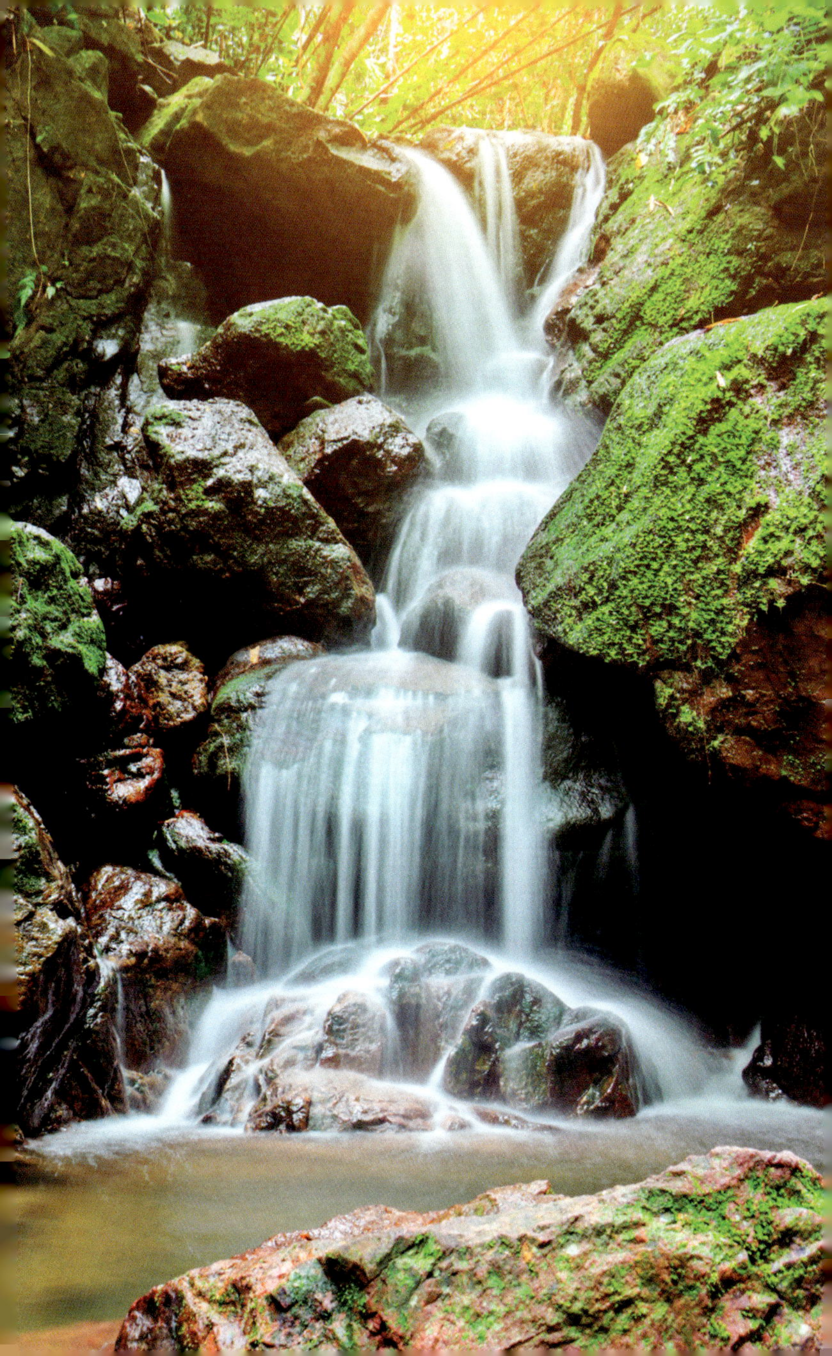

12

BOA NOITE, ESPÍRITO SANTO...

Nesta noite quero entrar em harmonia
com a natureza que me cerca,
obra de vossas sábias mãos criadoras,
que fez a noite e o dia,
que coordena os astros e as estrelas.
Sei que enquanto estiver dormindo
vós estareis preparando a harmonia das cores
do sol no amanhecer, do canto dos pássaros
e da flor que irá desabrochar.
Todas as cores, formas e sons foram criados por vós,
para que fôssemos não somente apreciadores,
mas também continuadores de vossa obra.
Embora na maioria das vezes somos mais destruidores
que colaboradores de vossa criação.
Que em meu repouso eu possa sentir
que sou parte integrante dessa imensa sinfonia
e que sou importante como criatura vossa,
assim como o são as aves do céu e os lírios do campo.

Vinde, Espírito de Harmonia, concedei-me um sono
tranquilo e um despertar feliz.

*"Olhai para as aves do céu, que não semeiam,
nem ceifam, nem ajuntam em celeiros;
e vosso Pai celestial as alimenta"* (Mt 6,26)

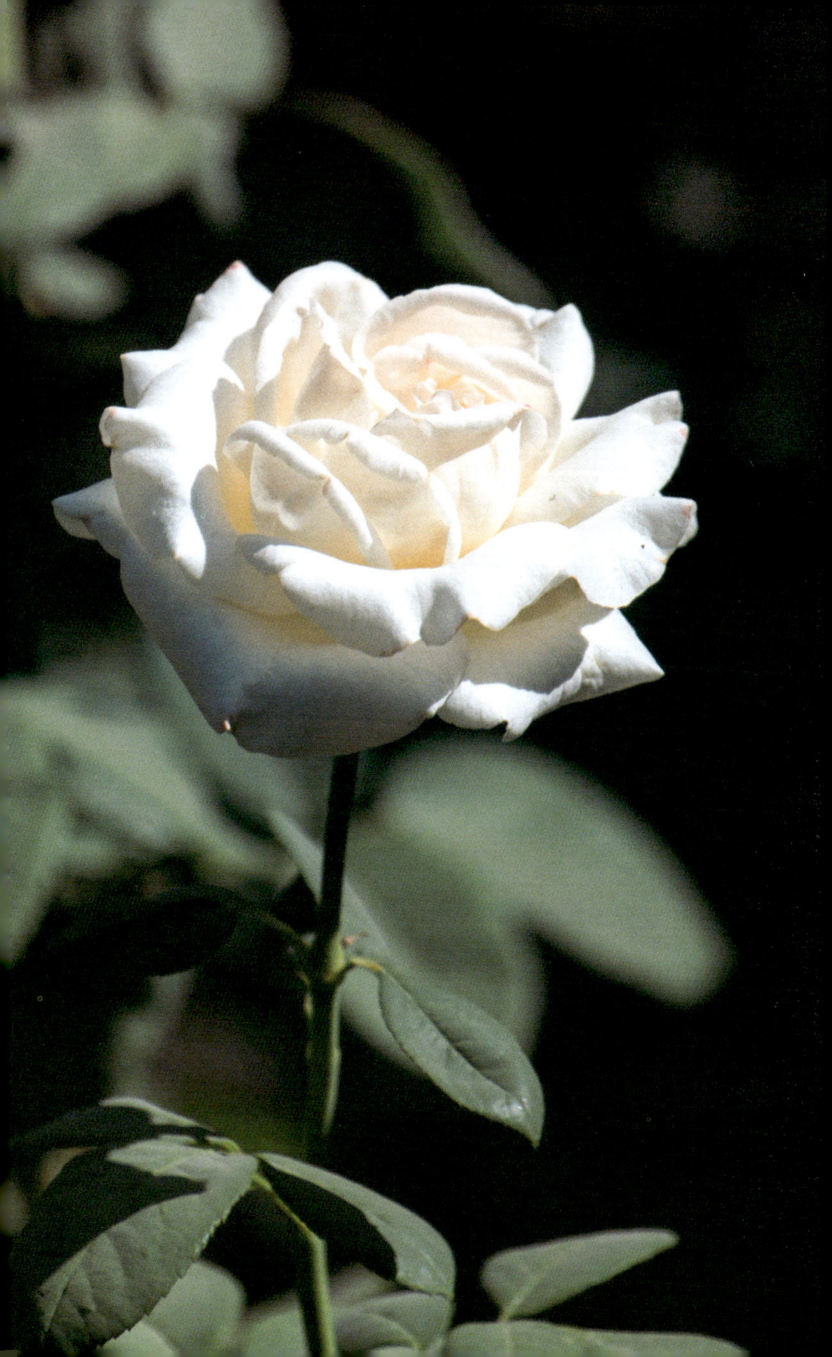

13

Boa noite, Espírito Santo...

A solidão é uma constante em nossa vida,
porém existem vários tipos de solidão.
Há a solidão desejada, aquela que buscamos
nos momentos fortes de oração,
quando queremos entrar
em profunda sintonia com vós.
Porém há a solidão daqueles que foram abandonados,
a solidão dos que estão distantes dos seus,
a solidão das prisões, dos asilos, dos hospitais,
a solidão forçada por uma circunstância da vida,
por uma imposição da história.
Nesta noite que se inicia quero trazer
a solidão da oração para dentro do meu coração
e rezar por todos os solitários
que estão sentindo o frio do abandono.
Que minha oração leve para cada um
o consolo de estarmos sempre acompanhados de vós,
que nos ama infinitamente.

Vinde, Espírito Companheiro, concedei-me um sono
tranquilo e um despertar feliz.

> *"Consolará a todos os seus lugares assolados*
> *e fará o seu deserto como o Éden e a sua solidão*
> *como o jardim do Senhor"* (Is 51,3)

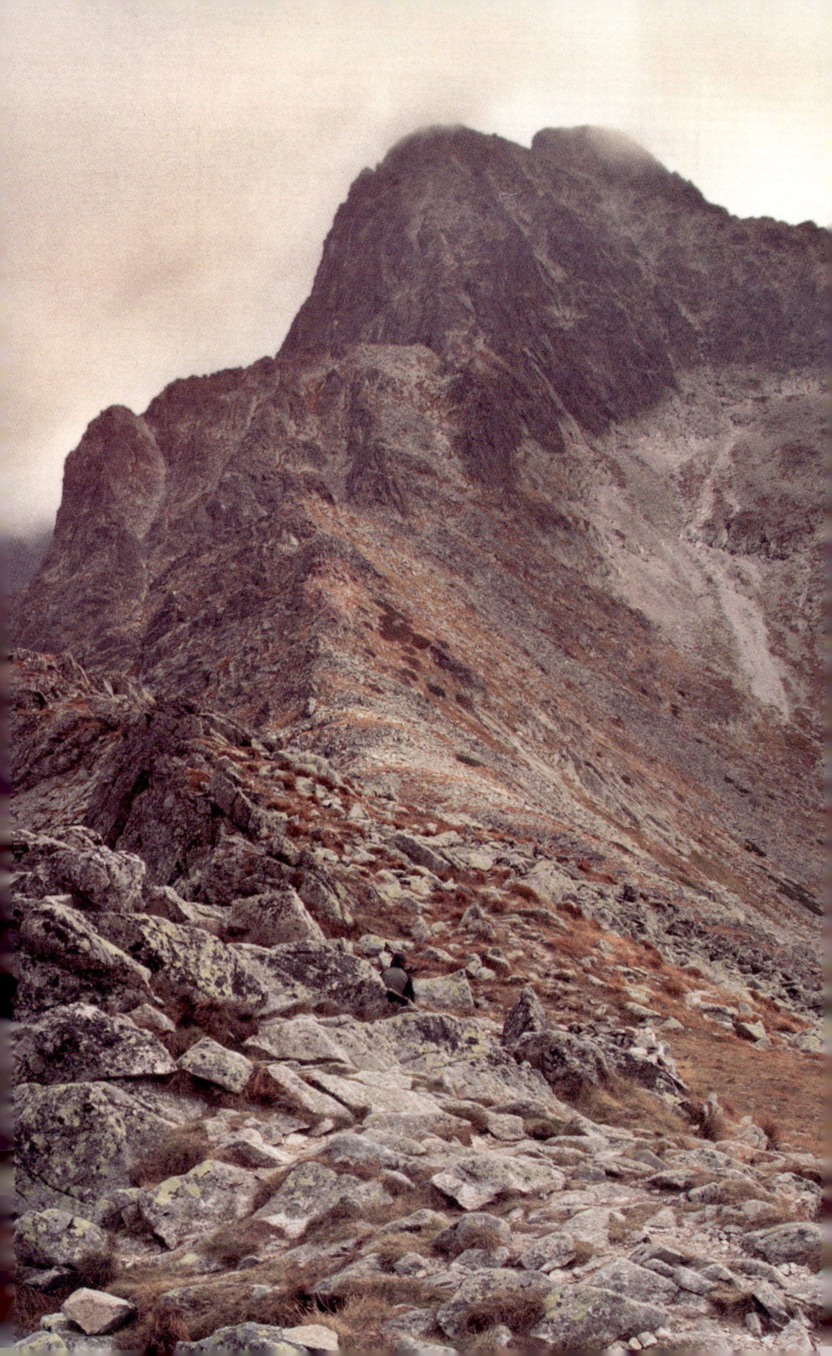

14

BOA NOITE, ESPÍRITO SANTO...

Os bens materiais que me cercam
foram frutos de trabalho e de esforço pessoal,
porém não podem transformar-se na razão máxima
de meu viver, pois os bens materiais se acabam com o
tempo, tudo passa e envelhece.
Somente os bens espirituais são eternos,
pois estão em relação ao eterno, ao imutável,
e também devem ser conquistados a partir
de meu esforço pessoal.
Muitas pessoas colocam os bens materiais
acima de outros valores da vida,
em nome do ter desprezam-se valores
como honestidade, solidariedade e justiça.
Ajudai-me, Senhor, para que possa dormir tranquilo,
colocando a minha cabeça no travesseiro,
com a certeza de que os valores
que respeitam o ser humano
estiveram presentes no meu dia,
e que não coloquei os bens materiais
acima do bem maior de vossa criação, que somos nós.

Vinde, Espírito de Discernimento, concedei-me um
sono tranquilo e um despertar feliz.

*"Ajuntai para vós tesouros no céu, onde nem a traça
nem a ferrugem os consumem, e onde os ladrões
não minam nem roubam"* (Mt 6,20)

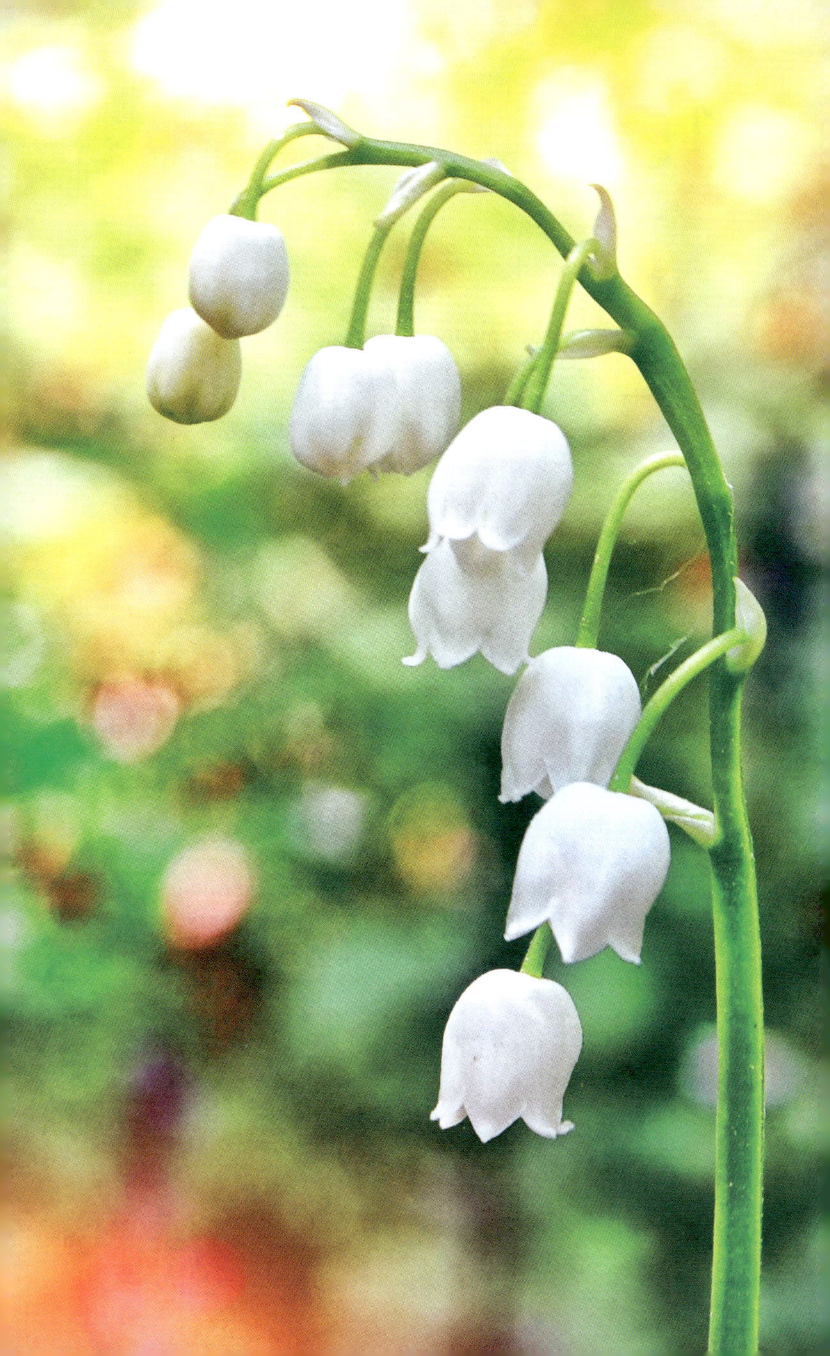

15

*B*OA NOITE, ESPÍRITO SANTO...

Para podermos alcançar os nossos objetivos
temos de gastar tempo e paciência,
temos de trabalhar para ver nossos sonhos realizados.
Os sonhos materiais precisam de nossa força física,
e nos cansamos para alcançar aquilo
que nos trará a tranquilidade e a estabilidade.
O desânimo se abate sobre nós.
No dia de hoje pude gastar minha energia física
em meu trabalho, embora muitas vezes sinta o
desânimo se abater sobre mim,
quero louvar o cansaço que hoje sinto
quando tantas pessoas se cansaram
em busca de ocupação, em busca de arranjar uma
forma honesta de sustentar sua família,
pessoas que estão deitando-se na incerteza
do dia de amanhã.
Como é bom, Senhor, sentir o cansaço
de um dia de trabalho e ter a certeza de que o sono irá
refazer minha força física, para amanhã estar pronto
para mais um dia em que poderei contribuir para o
progresso e bem-estar de minha família.

Vinde, Espírito, Força no trabalho, concedei-me um
sono tranquilo e um despertar feliz.

"Mas Jesus lhes respondeu: Meu Pai trabalha até agora, e eu trabalho também" (Jo 5,17)

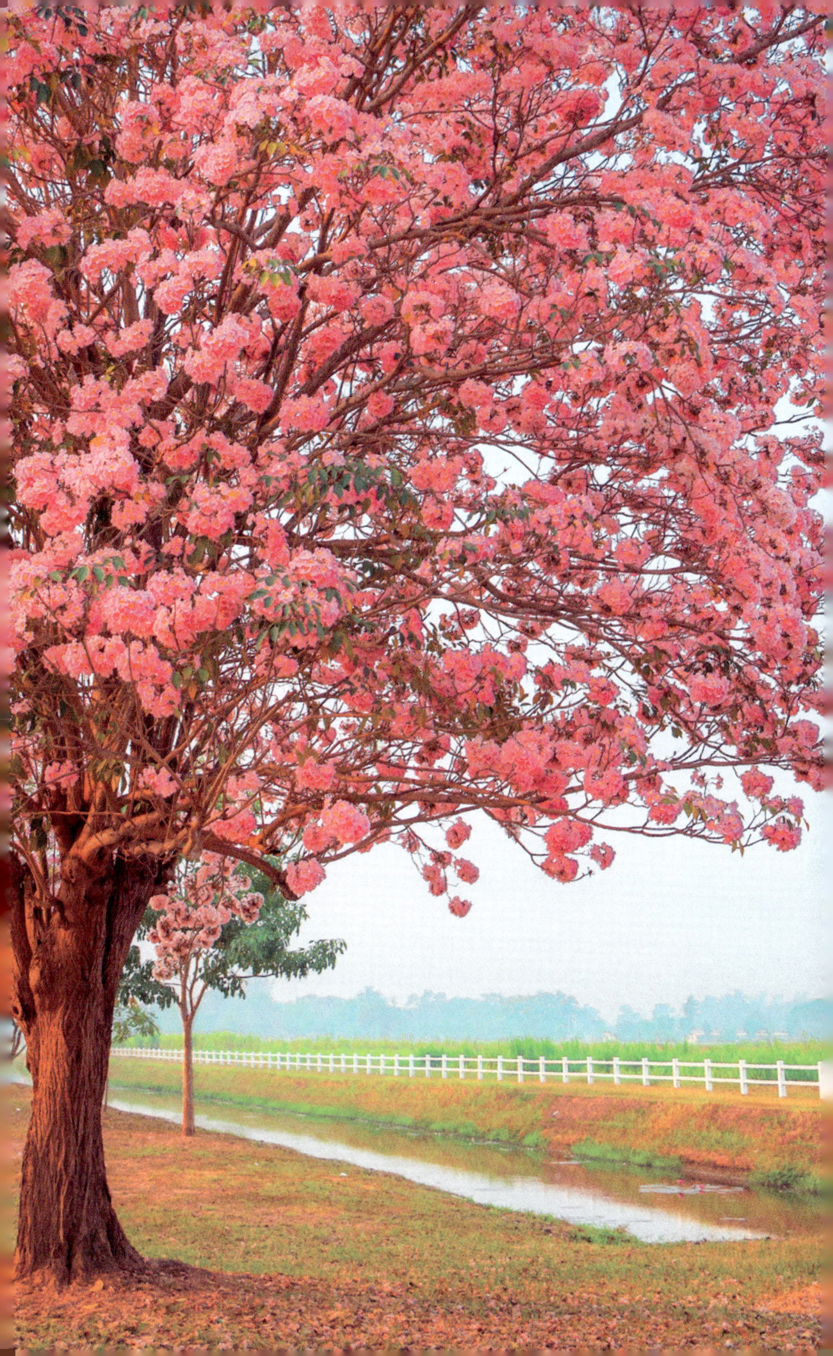

16

BOA NOITE, ESPÍRITO SANTO...

Nesta noite quero rezar e pedir vosso auxílio,
para que eu busque no meu dia-a-dia
ser autêntico com todos aqueles que me cercam.
Deixar de agir com falsidade, com mentiras
e ser transparente nas minhas relações.
No desenrolar do dia temos inúmeras
oportunidades de agir de forma clara com as pessoas,
mas nos deixamos levar pela mentira,
para manter a aparência,
para ser o que não somos.
Como é ruim viver em mentiras,
como é ruim tentar enganar os outros.
E vós, Senhor, que sois a Verdade que nos liberta,
ireis ajudar-me a buscar a autenticidade
em minha vida.
Quero dormir nesta noite e despertar
com o firme propósito de não viver no erro da mentira.

Vinde, Espírito de Autenticidade, concedei-me um
sono tranquilo e um despertar feliz.

*"Seja, porém, o vosso falar: Sim, sim; não, não;
pois o que passa daí, vem do Maligno"* (Mt 5,37)

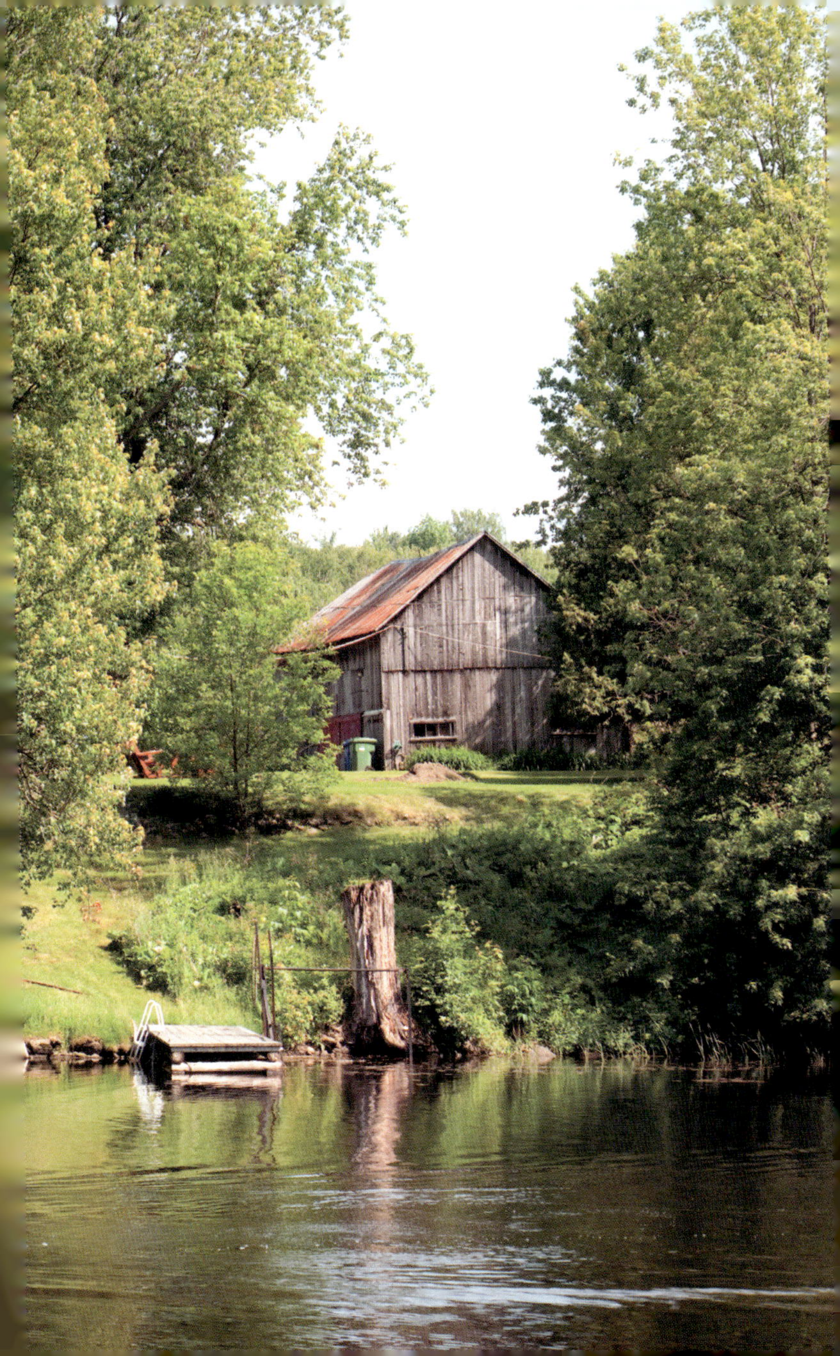

17

BOA NOITE, ESPÍRITO SANTO...

Vivemos num mundo onde a mentira e a verdade
lutam constantemente,
onde os valores de respeito, de fraternidade, de justiça
são muitas vezes vencidos pelo desrespeito,
pela discórdia e pela injustiça.
Os valores da mentira estão tão presentes em nossa
vida que achamos normal o enganar,
o tentar tirar vantagem sobre os outros,
o agir de forma desonesta.
Se acredito que sois a Verdade,
se aceito que podeis agir em mim,
quero ter forças para descartar de minha vida
tudo aquilo que representa a mentira.
Que eu possa adormecer nesta noite
com esta oração em meus lábios:
Senhor, fazei-me perseverante na verdade.
E que possa despertar com a certeza
de que é possível ser um sinal da verdade
dentro de um mundo de tantas injustiças,
corrupções e mentiras.

Vinde, Espírito de Verdade, concedei-me um sono
tranquilo e um despertar feliz.

"Agora, pois, temei ao Senhor, e servi-o com sinceridade e com verdade" (Js 24,14)

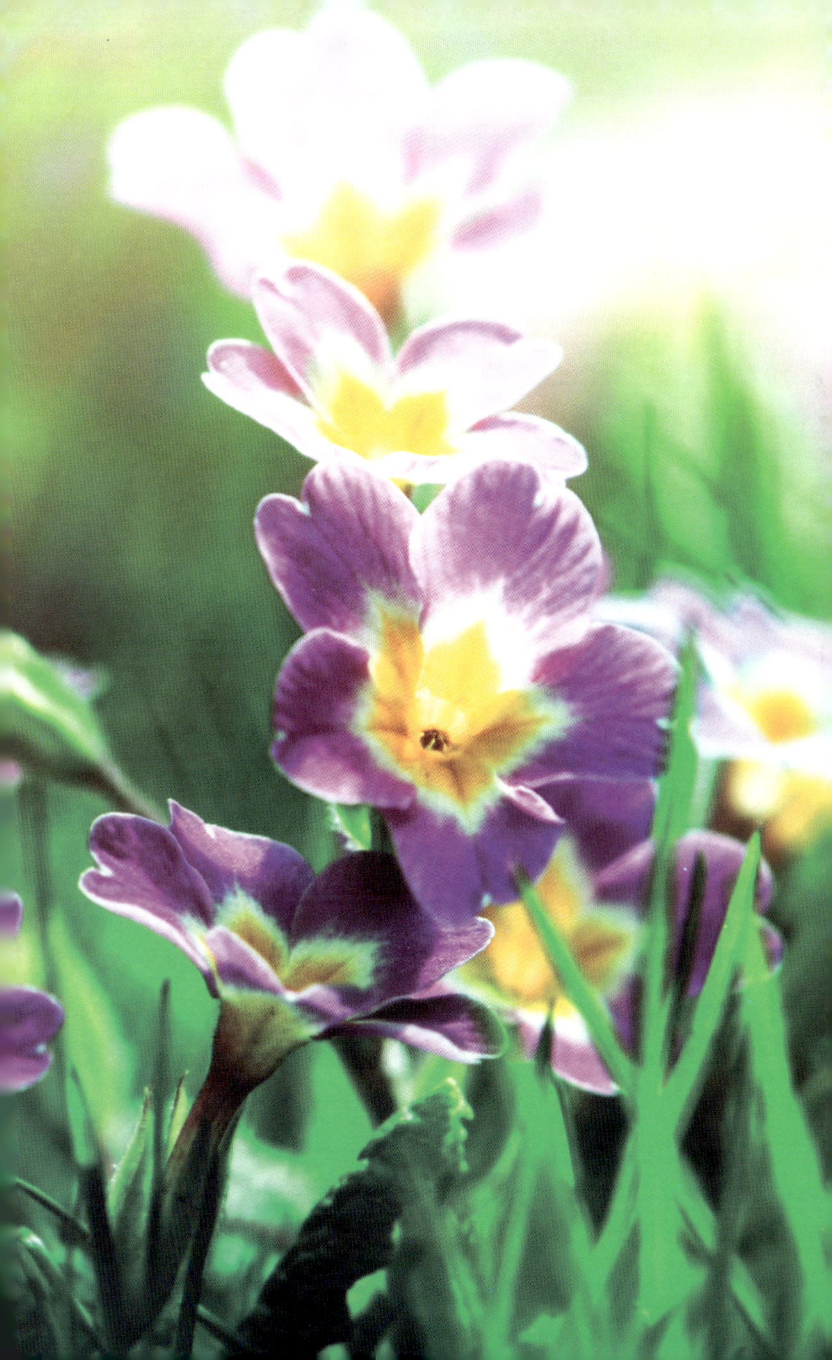

18

BOA NOITE, ESPÍRITO SANTO...

Dentro de nosso egoísmo nos esquecemos
que vivemos constantemente unidos como família,
como comunidade, como sociedade,
como Povo de Deus.
E, em nossa mesquinhez, não nos colocamos
em atitude de nos esquecer um pouco
de nossos problemas e rezar pelos outros.
Fazei-me, Senhor, um intercessor pelos problemas
dos outros, ajudai-me a romper o círculo do egoísmo,
auxiliai-me a conseguir orar
pelos meus irmãos e irmãs,
que já perderam a esperança.
Que meu coração desperte para essa necessidade
e que eu possa colocar de lado
os meus pequenos problemas,
percebendo as preocupações
dos que já estão cansados e abatidos.
Que o sol de amanhã traga a luz para meu ser
e que eu possa dedicar-me mais ao serviço
de intercessor das necessidades de meu próximo.

Vinde, Espírito de Intercessão, concedei-me um sono
tranquilo e um despertar feliz.

> *"Se um homem pecar contra outro,*
> *Deus o julgará; mas se um homem pecar contra o Senhor,*
> *quem intercederá por ele?"* (1Sm 2,25)

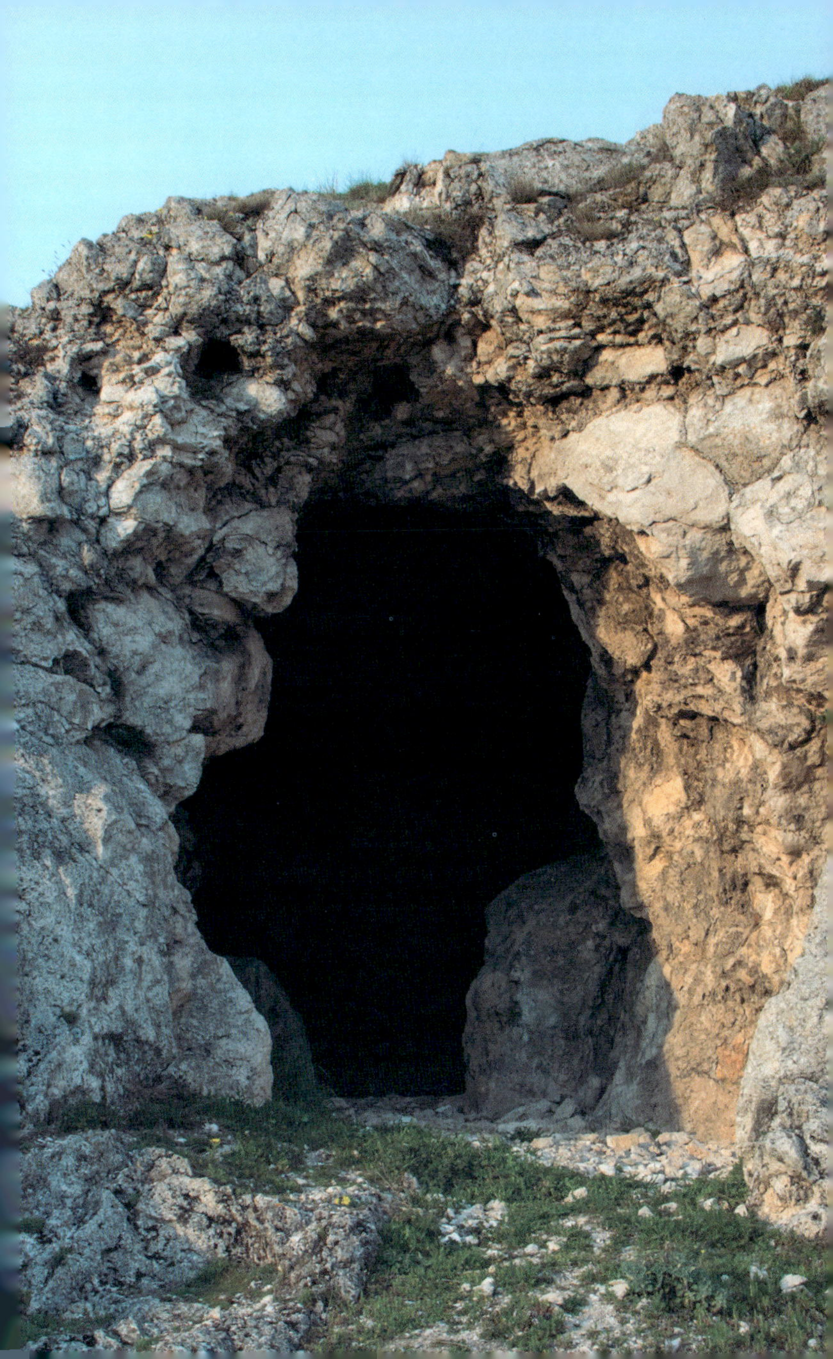

19

BOA NOITE, ESPÍRITO SANTO...

Como é perfeito o meu corpo, todas as suas funções,
todos os seus movimentos, todas as suas formas.
Embora muitas vezes não preste atenção
neste presente maravilhoso que ele é,
e não cuido de minha saúde,
não respeito os seus limites,
e me deixo seduzir por prazeres.
Meu corpo é vosso templo,
e isso o torna mais maravilhoso, mais especial;
devo cuidar dele, pois sei que vós habitais em mim.
Sinto meu corpo cansado pelos trabalhos do dia
e quero repousá-lo,
proporcionando-lhe o descanso merecido.
Quero também repousar em vós,
para que restaureis todas as minhas energias.

Vinde, Espírito Habitante de meu corpo, concedei-me
um sono tranquilo e um despertar feliz.

"Ou não sabeis que o vosso corpo é santuário do Espírito Santo, que habita em vós, o qual possuís da parte de Deus, e que não sois de vós mesmos?" (1Cor 6,19)

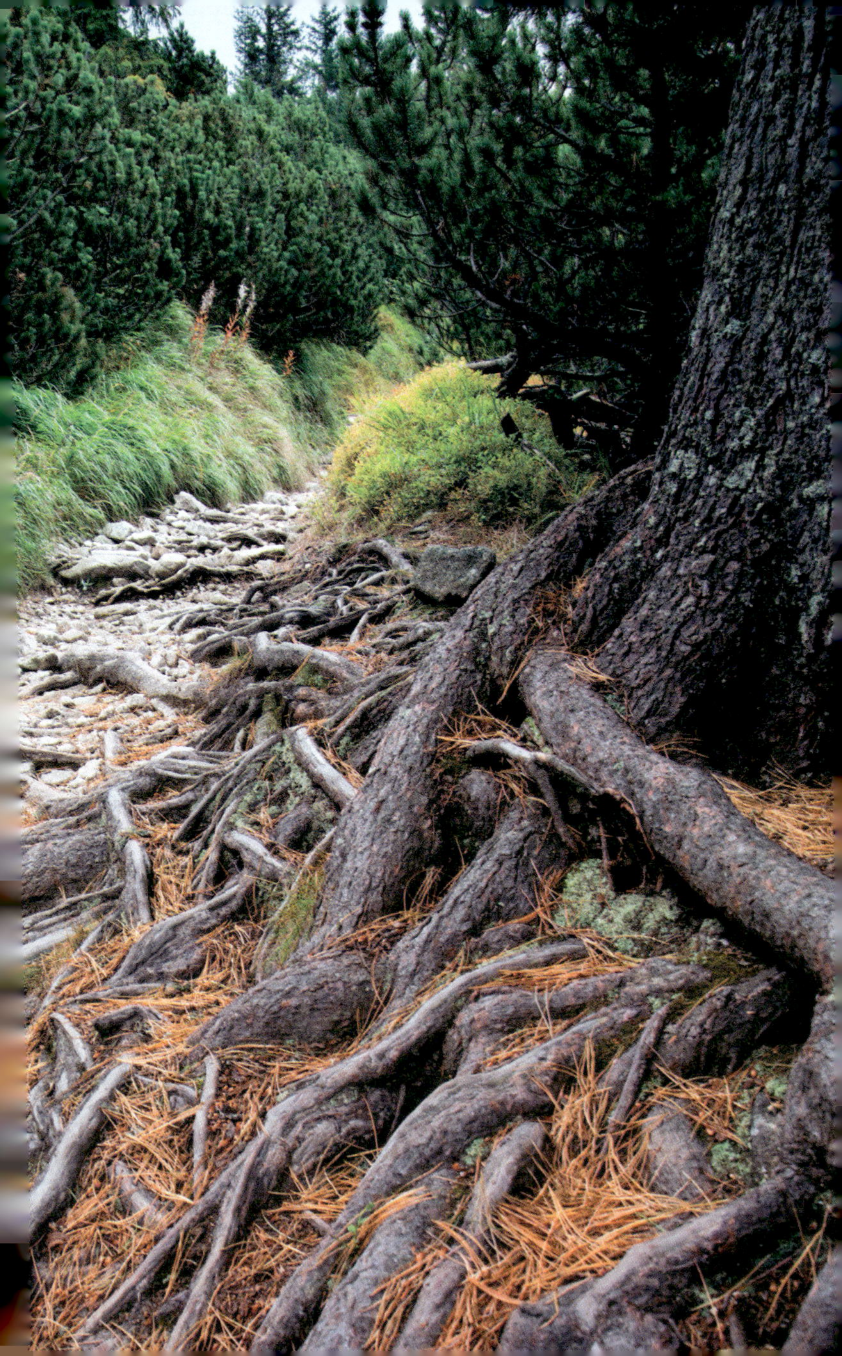

20

BOA NOITE, ESPÍRITO SANTO...

O manto da noite cai sobre todos,
e assim como o sol, que também surge para todos,
somos iguais;
sob o céu a natureza vai cumprindo sua função
sem distinção de pessoas.
Entretanto, ao olharmos para o mundo,
vemos como a desunião impera em nosso meio,
como as pessoas julgam-se melhores que as outras.
Quero sonhar e lutar por um mundo mais irmão,
onde haja união e justiça,
onde todos compreendam que fomos igualmente
feitos a vossa imagem.
Que nesta noite eu seja fortalecido para que possa
anunciar as maravilhas de um mundo irmão.

Vinde, Espírito de Unidade, concedei-me um sono
tranquilo e um despertar feliz.

"Rogo-vos, irmãos, em nome de nosso Senhor Jesus Cristo, que sejais concordes no falar, e que não haja dissensões entre vós; antes sejais unidos no mesmo pensamento e no mesmo parecer" (1Cor 1,10)

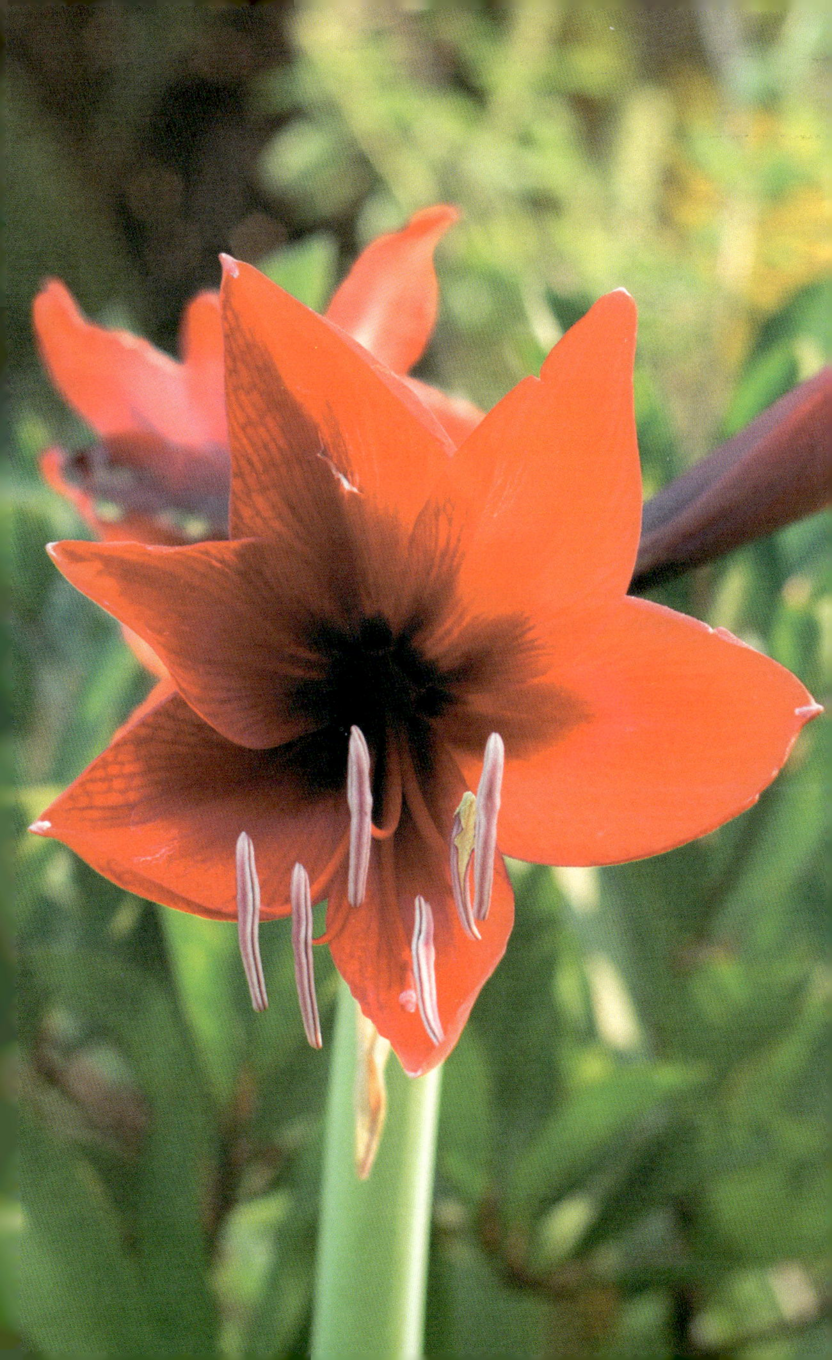

21

*B*OA NOITE, ESPÍRITO SANTO...

O sonho da paz é presença
em toda a nossa história.
Muitas pessoas lutaram e buscaram
ver a paz no mundo,
mas pouco ainda se conseguiu.
Nesta noite quero rezar pela paz
e comprometer-me na busca
de um mundo sem conflitos,
porém a paz deve ser buscada
a partir das pequenas coisas
e assim acontecer em uma escala maior.
Trazei, Senhor, nesta noite, a paz para o meu coração,
que eu fique livre das guerras
que acontecem dentro de meu ser,
que eu sinta a paz que de vós vem a invadir-me.
De posse da vossa paz,
terei força para ser vosso sinal em minha família,
em minha comunidade e me alistar no grupo
que busca a paz para o mundo.

Vinde, Espírito de Paz, concedei-me um sono
tranquilo e um despertar feliz.

"O Senhor levante sobre ti o seu rosto,
e te dê a paz" (Nm 6,26)

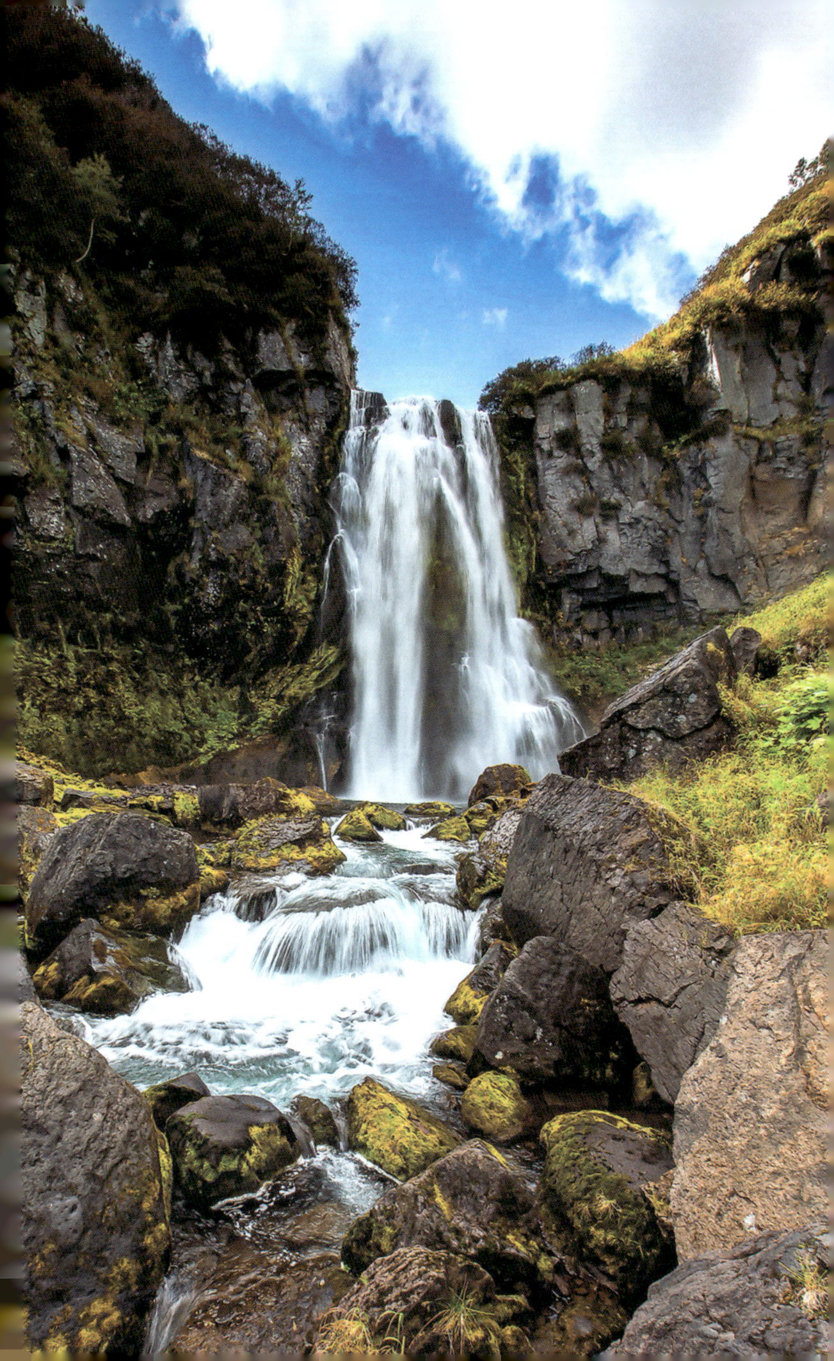

22

BOA NOITE, ESPÍRITO SANTO...

Somos destinados à liberdade
que de vós nos vem,
fomos criados para desfrutar da liberdade
de poder escolher entre o bem e o mal.
Muitas vezes fazemos escolhas erradas
e nossa liberdade transforma-se em prisão,
escolhemos a prisão dos vícios, a prisão das mentiras,
a prisão do pecado.
Alguns usaram tão mal a sua liberdade,
que até a perderam
e hoje se encontram encarcerados,
longe de seus familiares e afastados da sociedade.
Senhor, que eu saiba usar bem a liberdade que recebi
como dádiva de vós, que não caia nas ciladas da vida,
que podem levar-me aos mais variados tipos de prisão.
Olhai por todos os que se encontram presos,
para que consigam descobrir o valor maior
de ser livre com responsabilidade.

Vinde, Espírito de Liberdade, concedei-me um sono
tranquilo e um despertar feliz.

*"Caminharei em liberdade, pois tenho buscado
os teus preceitos"* (Sl 119,45)

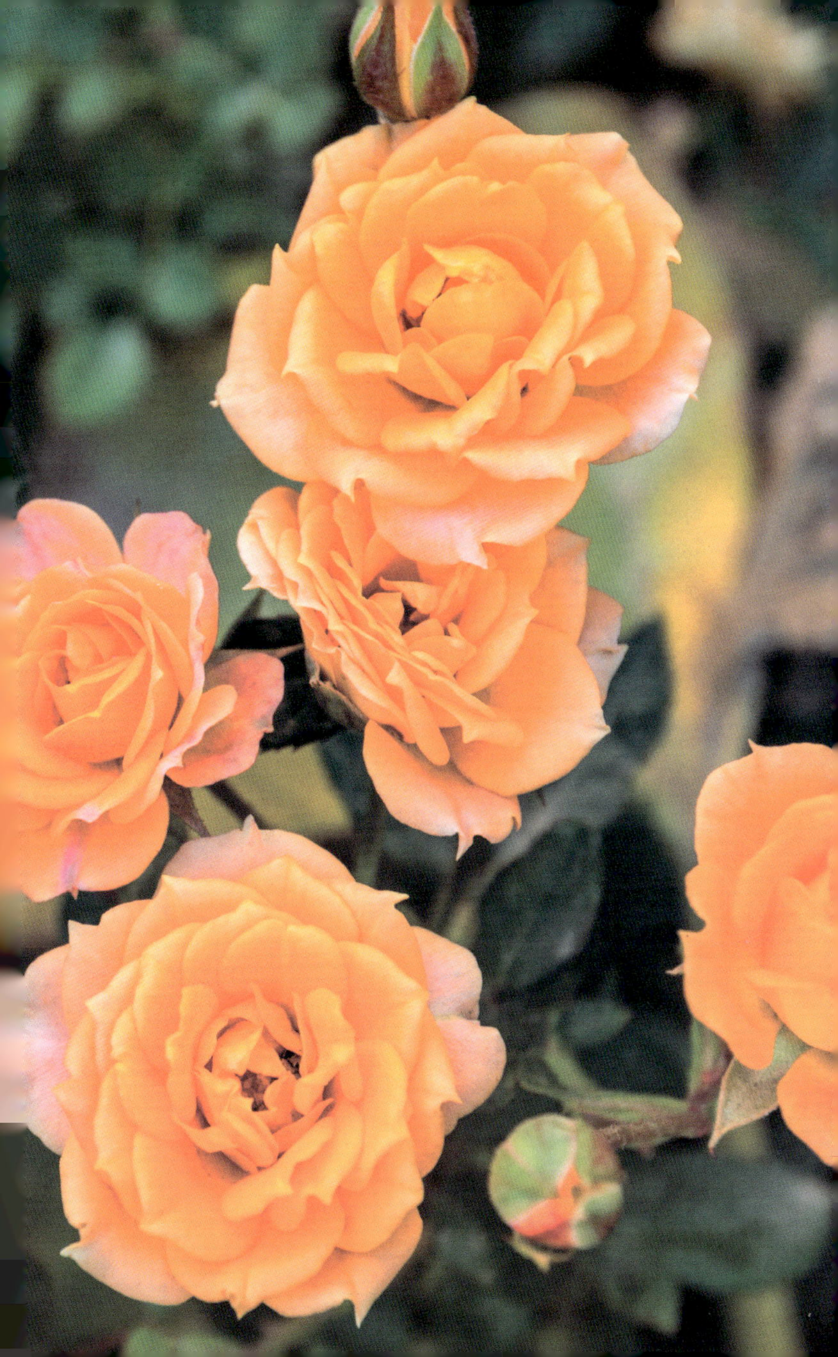

23

BOA NOITE, ESPÍRITO SANTO...

Eu amo muito todos aqueles e aquelas que me cercam,
gosto de minha família, de meus amigos, de meus
colegas, gosto tanto que às vezes deixo-me levar
por um sentimento ruim chamado ciúme.
Por gostar tanto, sinto que me torno egoísta
e quero que todos tenham a atenção
voltada somente para mim.
Sofro com esse sentimento
e sei que não é bom senti-lo,
quero ver-me livre dele para poder
amar a todos com confiança, sem medo,
simplesmente por estarem próximos.
Sei que vosso amor é sem limites
e que em vós confio.
Quero sentir o amor gratuito,
sem cobranças, sem medos.
Que meu sono desta noite seja uma oração
a todos aqueles e aquelas a quem amo, e que no dia
que vai raiar eu possa amá-los com confiança.

Vinde, Espírito de Amor confiante, concedei-me um
sono tranquilo e um despertar feliz.

> *"Porventura não está a tua confiança no teu temor
> de Deus, e a tua esperança na integridade
> dos teus caminhos?"* (Jó 4,6)

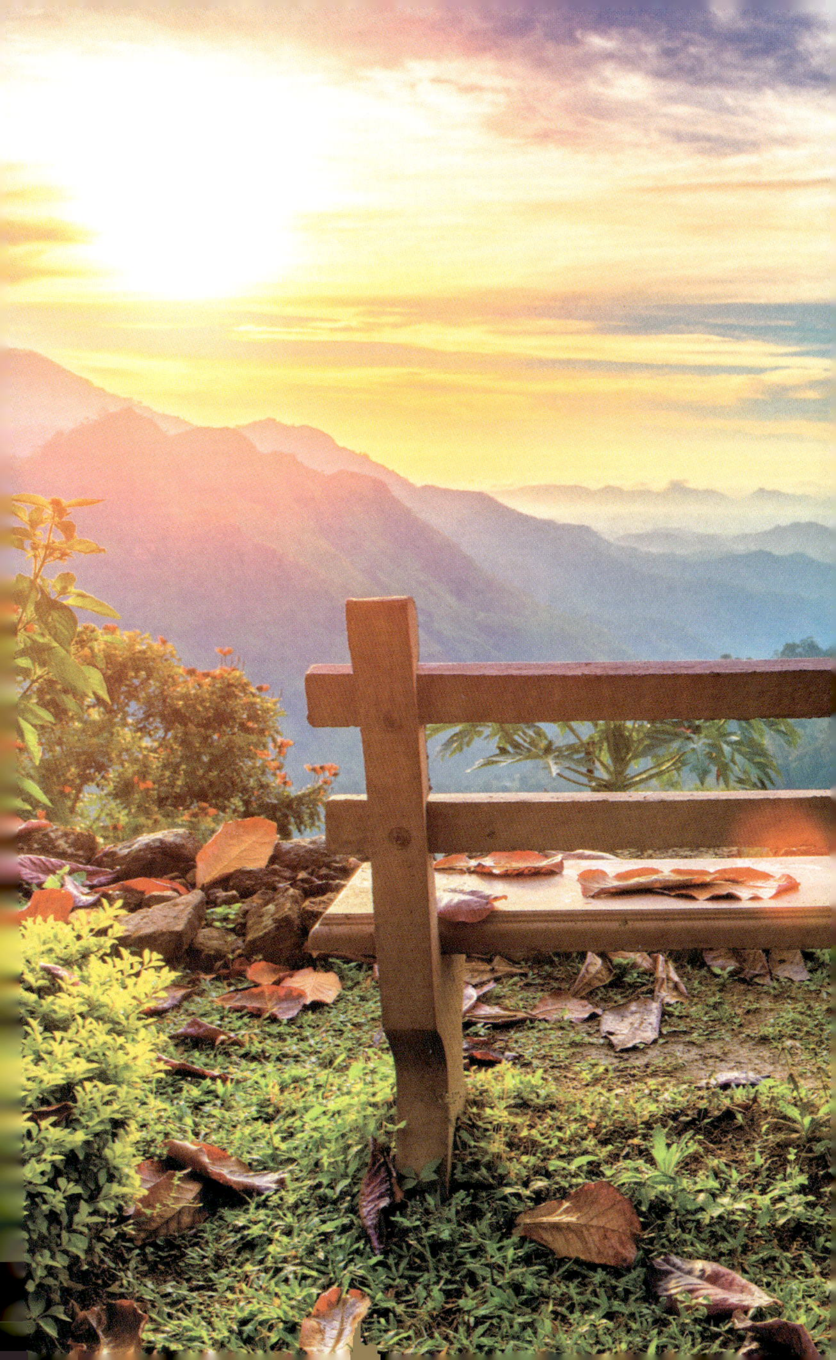

24

*B*OA NOITE, ESPÍRITO SANTO...

A Bíblia foi por vós inspirada,
com ela temos a chave para abrir as portas
do entendimento da ação de Deus no mundo.
Muitas vezes não valorizamos devidamente
essa fonte inesgotável de sabedoria,
de santidade e de compreensão dos mistérios.
Quando não faço da Bíblia o meu guia espiritual
ou simplesmente não busco abastecer a minha fé
através dela, sou tentado a aceitar outras propostas
de compreensão, que ferem totalmente a fé
na qual fui batizado.
Que eu consiga afastar da minha vida
as propostas de interpretação do mistério da vida,
que ferem a Palavra por vós inspirada e revelada.
Que a luz da Palavra da nossa salvação
brilhe na minha vida, assim como o sol
que ilumina o dia.

Vinde, Espírito de Revelação, concedei-me um sono
tranquilo e um despertar feliz.

"Muita paz têm os que amam a tua Lei, e não há nada que os faça tropeçar" (Sl 119,165)

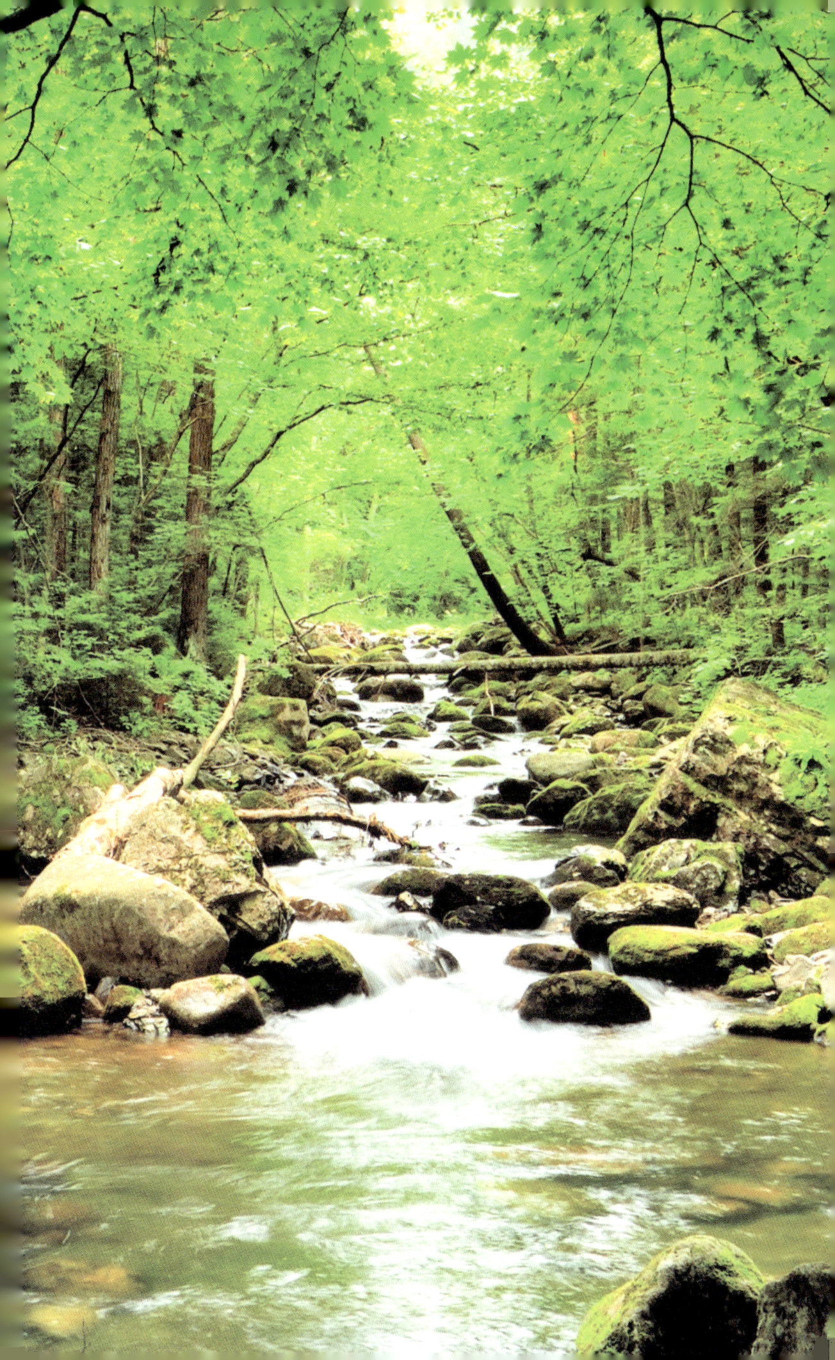

25

Boa noite, Espírito Santo...

A santidade deve ser a nossa meta constante,
buscar a santidade é a nossa obrigação.
Pensamos que ser santo significa sair do mundo,
estar alheio às coisas terrenas.
Porém, ao repassarmos as histórias
daqueles que alcançaram a santidade e que hoje nos
são colocados como exemplos, percebemos que na
verdade o que aconteceu foi o contrário.
Por terem um profundo conhecimento
das coisas do mundo, eles souberam viver
as alegrias do céu aqui na terra.
Meu Senhor, eu quero ser santo.
Arrancai tudo o que me impede de ser sinal
de vossa santidade.
Que as virtudes da fé, da esperança e da caridade
façam morada em meu ser, a ponto de transbordarem
a todos que me cercam e assim poderem ser canal de
vossa santidade para todos.
Na tranquilidade da noite eu quero pedir:
Convertei o meu coração para a santidade.

Vinde, Espírito de Santidade, concedei-me um sono
tranquilo e um despertar feliz.

*"Ele nos escolheu nele antes da fundação do mundo
para sermos santos e irrepreensíveis
sob o seu olhar, no amor"* (Ef 1,4)

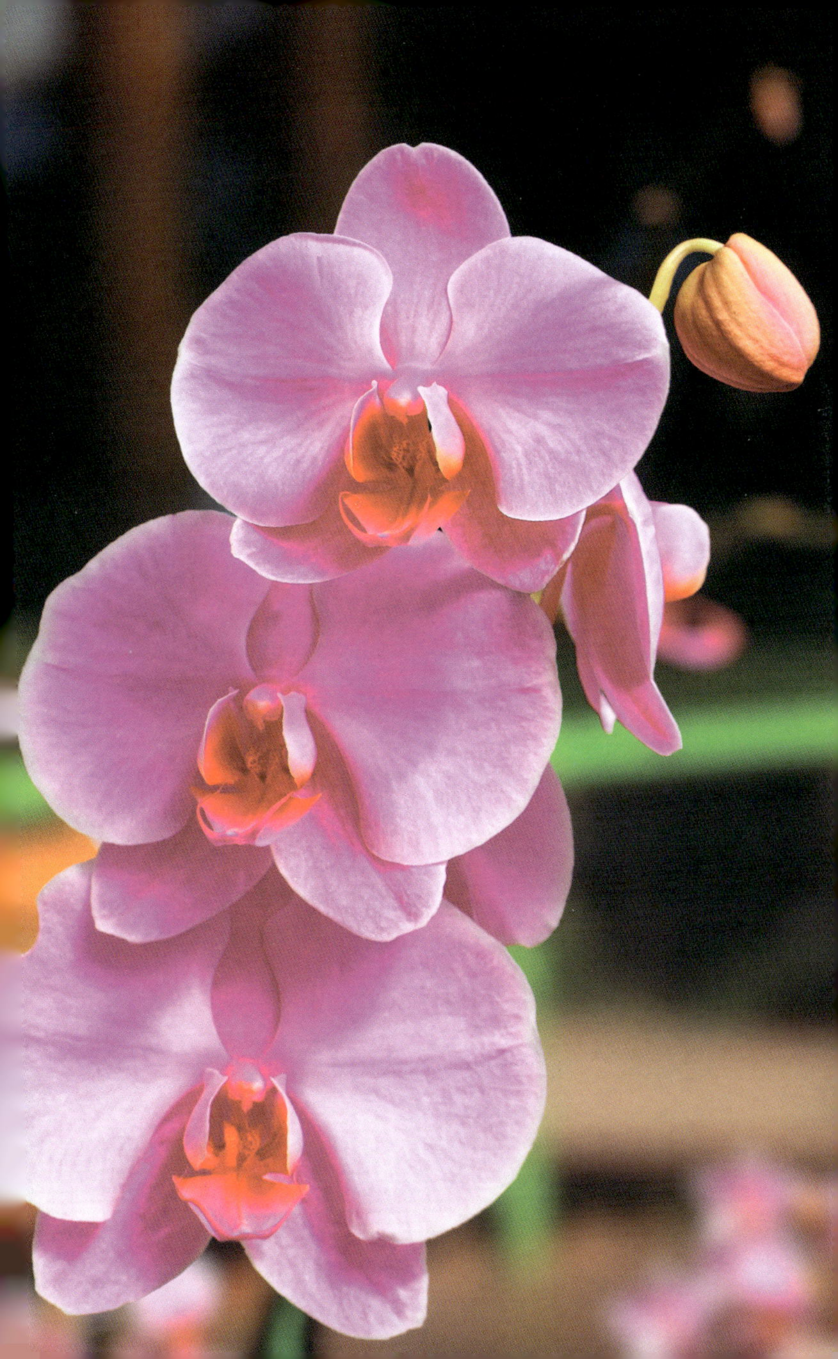

26

BOA NOITE, ESPÍRITO SANTO...

A vossa Igreja quer ser na terra
um sinal das maravilhas do céu.
Quero nesta noite rezar por todos nós,
que fazemos parte dela.
Ajudai a vossa Igreja em sua missão de anunciar
o evangelho e dai forças para que consiga
denunciar todos as formas de pecado.
Fortalecei aqueles que se consagraram
ao serviço da Igreja.
Ajudai-nos na busca da unidade e da fraternidade.
Que o escuro do pecado não prevaleça
sobre o brilho de vossa Igreja,
para que cada vez mais possamos ser fiel
ao vosso mandato e para que sejamos realmente
fonte de ligação entre a nossa realidade terrena
e as glórias do céu.

Vinde, Espírito, Força da Igreja, concedei-me um sono
tranquilo e um despertar feliz.

"Pois também eu te digo que tu és Pedro, e sobre esta pedra edificarei a minha Igreja, e as portas do inferno não prevalecerão contra ela" (Mt 16,18)

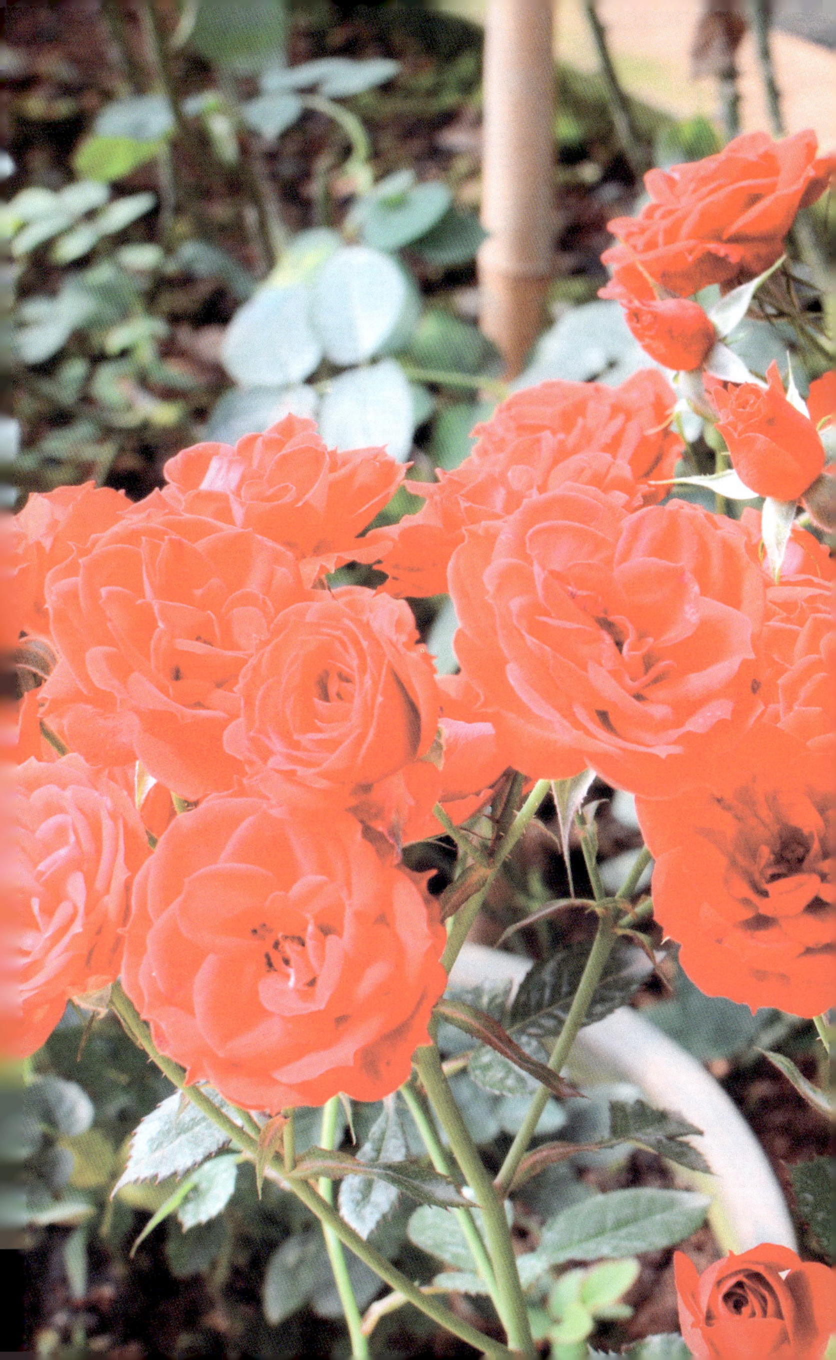

27

*B*oa noite, Espírito Santo...

Tenho necessidade, Senhor, de me colocar aberto
às mudanças que o mundo apresenta,
para que não me solidifique em antigas respostas
e não perceba as transformações
que ocorrem a minha volta.
Não estar ciente da necessidade de encontrar
novas respostas para os problemas
faz com que eu fique preso às soluções passadas.
Assim como o mundo está em constante mudança,
quero atualizar-me e ser presença real
no hoje da história.
Assim como o escuro da noite transforma-se
na claridade da manhã,
que minha alma se abra para o clarão das mudanças
que necessito aceitar em minha vida.

Vinde, Espírito de Mudanças, concedei-me um sono
tranquilo e um despertar feliz.

*"E não vos conformeis a este mundo,
mas transformai-vos pela renovação da vossa mente,
para que experimenteis qual seja a boa, agradável
e perfeita vontade de Deus"* (Rm 12,2)

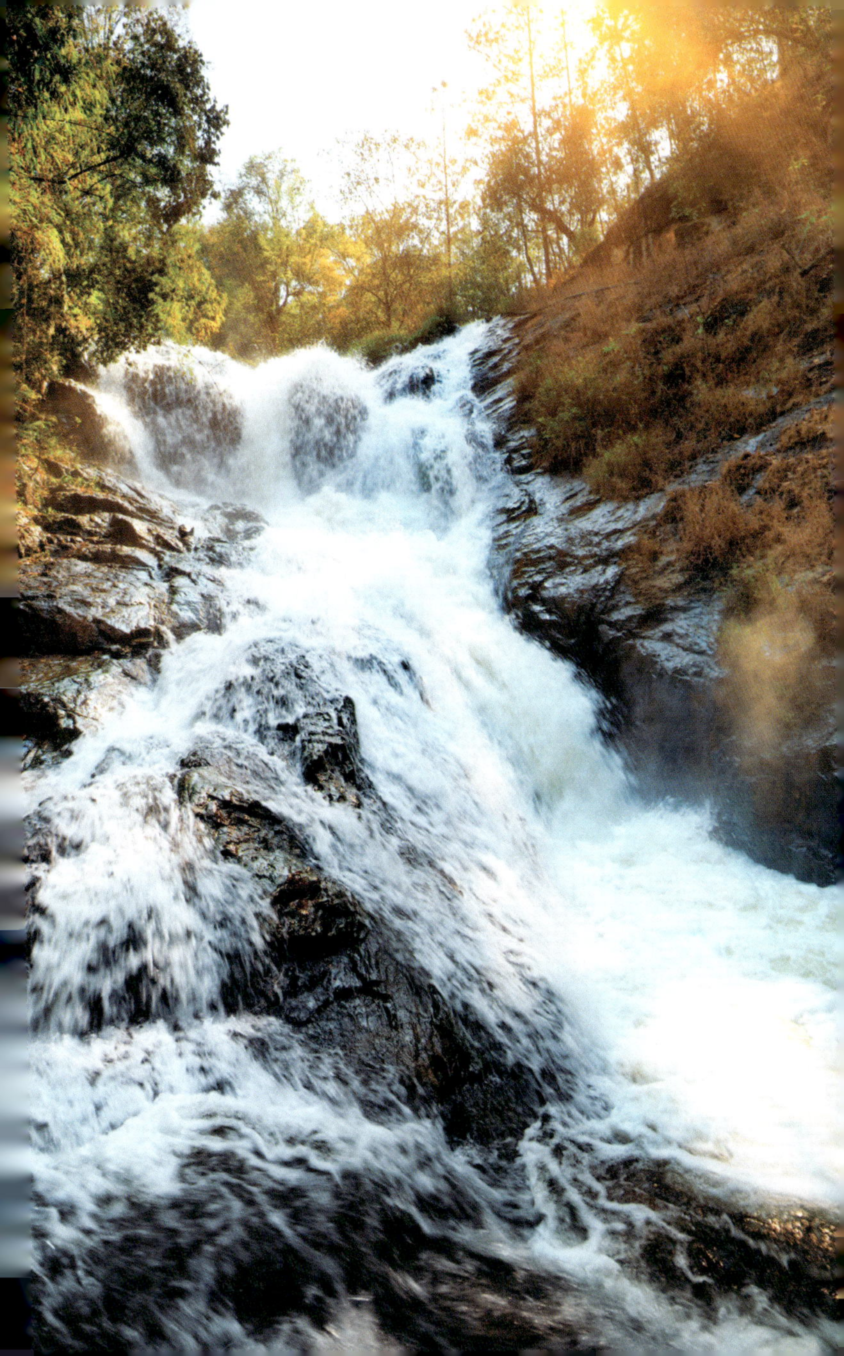

28

*B*OA NOITE, ESPÍRITO SANTO...

A morte é uma realidade em nossa vida.
Ela faz parte de nossa natureza finita.
Sabemos que todos teremos de passar
por essa experiência, porém
ao nos depararmos com essa experiência
sentimos o sofrimento bater em nossa porta.
A nossa fragilidade diante da morte
nos trás um grande sentimento de perda.
Sei que isso é plenamente normal,
mas quero, Senhor, que os valores da Ressurreição
também façam parte de meus sentimentos.
Aumentai em mim a fé na Ressurreição,
para que a morte não seja percebida apenas
como uma simples perda.
Rezo nesta noite por todos aqueles que irão falecer
e principalmente por seus parentes e amigos,
para que sintam a força consoladora que de vós vem.

Vinde, Espírito de Ressurreição, concedei-me um sono
tranquilo e um despertar feliz.

"Eu sou a ressurreição e a vida; quem crê em mim, ainda que morra, viverá" (Jo 11,25)

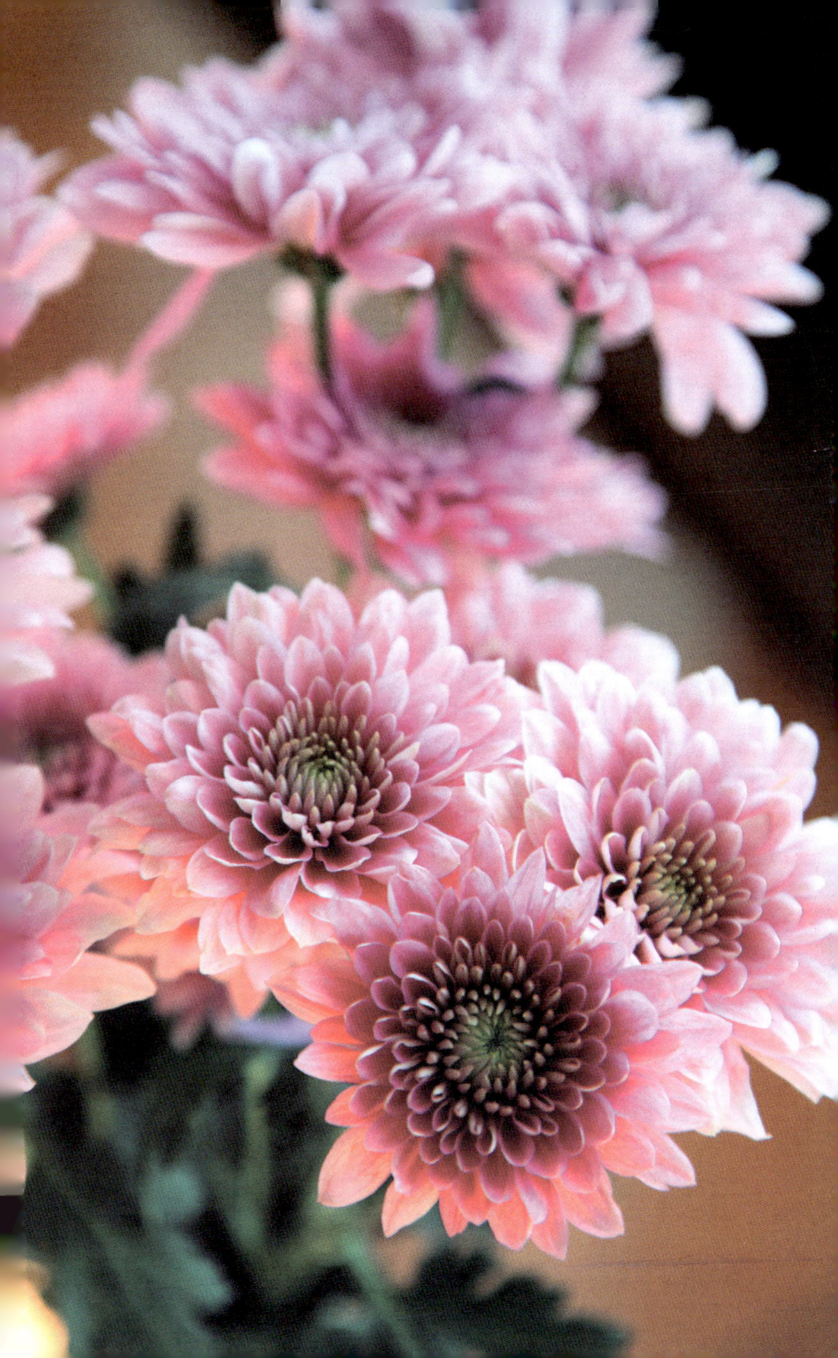

29

*B*oa noite, Espírito Santo...

Somos muito frágeis em nossa força de vontade.
Por mais que tentemos sempre caímos
no pecado e no erro, e isso desagrada o vosso amor
e nos torna mais distantes de vós.
No dia que finda tive muitas oportunidades
de evitar a mentira, o desamor, a falta de justiça,
mas fui fraco e deixei-me levar
pela inconsequente força do pecado.
Sei que pecando eu estou distanciando-me
de meus irmãos e irmãs, e com esse afastamento
vou deixando de vê-los como vosso templo,
como presença de Deus a me ajudar
no meu projeto de santidade.
Com o sono que restaura as forças de meu corpo,
seja restaurada também a força para lutar
contra o pecado que existe no mundo,
e que muitas vezes eu deixo
que faça parte de meu dia.

Vinde, Espírito de Perdão, concedei-me um sono
tranquilo e um despertar feliz.

"Ao Senhor, nosso Deus, pertencem a misericórdia e o perdão" (Dn 9,9)

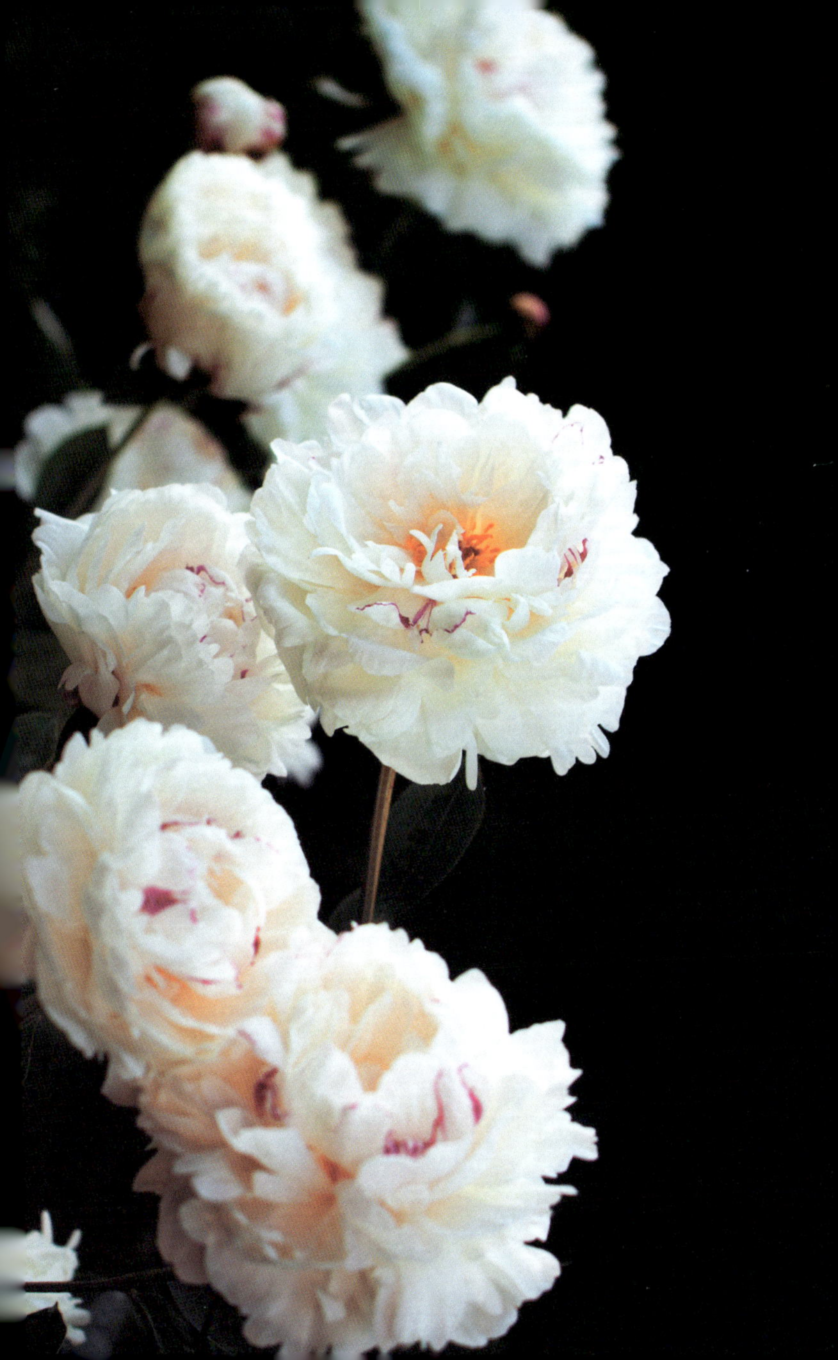

30

Boa noite, Espírito Santo...

Senhor, que eu nunca perca as esperanças.
Ela sustenta a nossa vida.
Esperar por um dia melhor, esperar uma conversão,
esperar a ação de Deus em minha vida.
Quando se perde a esperança,
o sentido da vida também se vai,
e, mais ainda, perdemos a fé naquele que é fonte
de todas as nossas esperanças.
Tenho a certeza de que as minhas forças
serão restauradas com o repouso,
mas quero mais que isso.
Restaurai, Senhor, as minhas esperanças,
que elas me auxiliem a viver melhor
e a ser sinal de esperança
para o meu próximo.

Vinde, Espírito de Esperança, concedei-me um sono tranquilo e um despertar feliz.

> *"E a esperança não desaponta, porquanto o amor de Deus está derramado em nossos corações pelo Espírito Santo, que nos foi dado"* (Rm 5,5)

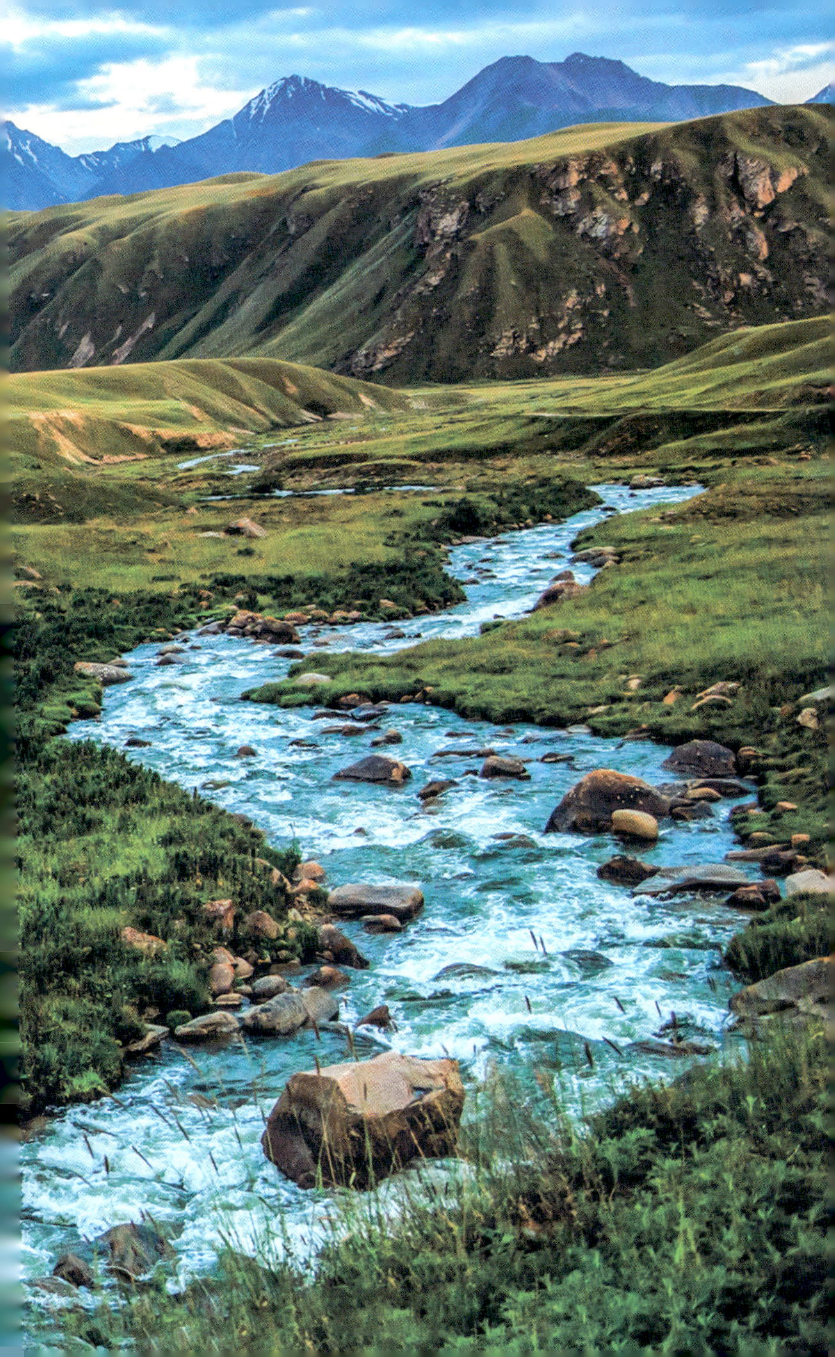

31

BOA NOITE, ESPÍRITO SANTO...

Faço nesta noite a minha entrega pessoal
a vós, meu Senhor.
Vós que sois a fonte e a meta do meu viver,
restaurai a minha vida, revitalizai a minha fé,
colocai-me no caminho da santidade.
Consagro a minha família e todos aqueles que amo,
cuidai de cada um deles,
dai-lhes força na caminhada,
sustentai-os em suas necessidades
materiais e espirituais.
Que meus pecados sejam tirados de vossa frente,
que minhas fraquezas não sejam levadas em conta,
e que o meu sincero desejo de me entregar
a vossa ação possa chegar até vós,
como uma oração sincera que brota da minha alma.
Meu descanso noturno seja um profundo
repouso em vós, tomai todo o meu ser
e fazei de mim um instrumento de vossos dons.

Vinde, Espírito de Consagração, concedei-me um sono
tranquilo e um despertar feliz.

*"Entrega o teu caminho ao Senhor;
confia nele, e ele tudo fará"* (Sl 37,5)

Este livro foi composto com as famílias tipográficas Bodoni, Mistal e Univers
e impresso em papel Couchê fosco 90g/m² pela **Gráfica Santuário.**

Fortaleça sua fé com as
Novenas da Editora Santuário

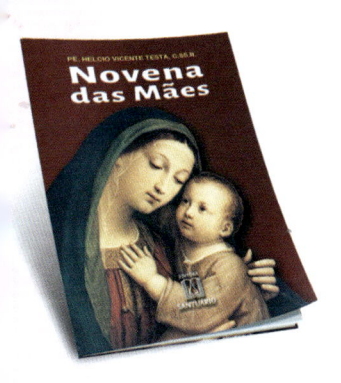

Novena das Mães

Os filhos não precisam só do cuidado e da ternura das mães, eles precisam principalmente de suas orações e de seu amparo espiritual. Por meio das meditações dessa novena, as mães recorrem diretamente a Deus e ao coração materno de Maria, conforme as necessidades de seus filhos.

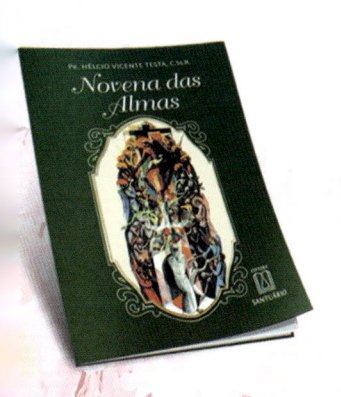

Novena das Almas

Uma novena que convida a rezar pelo descanso eterno dos falecidos. São nove dias em profunda oração, cada um com uma invocação especial dirigida a Deus ou a algum dos santos da Igreja.

0800 016 0004
editorasantuario.com.br

Editora Santuário

Coleção
O poder da Oração

A coleção reúne os maiores mestres espirituais de todos os tempos, em uma seleção de orações que vão aproximar você do Espírito Santo e de todas as graças oferecidas por Deus Todo-Poderoso.

0800 016 0004
editorasantuario.com.br

Editora Santuário